여름을 삼키는 것

여름을 삼키는 것

발 행 | 2025년 01월 01일

저 자 | 지은조

펴낸이 | 한건희

펴낸곳 | 주식회사 부크크

출판사등록 | 2014.07.15(제2014-16호)

주 소 | 서울특별시 금천구 가산디지털1로 119 SK트윈타워 A동 305호

전 화 | 1670-8316

이메일 | info@bookk.co.kr

ISBN | 979-11-419-7064-2

www.bookk.co.kr

여름을
삼키는 것

/지은조 저

CONTENT

여름을 삼키는 것

우리의 결말은 구슬픈 사랑이었다.

너는 더이상 이곳에 존재하지 않게 되었고, 나는 너를 잊지 못해 나를 죽이기로 결심했다.

그렇게 하면 너를 사랑하는 나의 감정을, 이 서글픈 감정을 증명할 수 있을 것만 같았다. 맞다. 그때 우리는 너무도 어렸다. 정말 새파랗게 어렸고, 그만큼 미성숙한 우리에게 해결 방도란 자신을 죽이는 것밖에 없었다.

네가 깊은 잠에 빠져버린 후, 나는 시들었다. 우울이라는 감정이 나를 무섭게 덮쳐왔고 세상을 흑백으로 물들였다. 사람들은 내가 미쳤다고 소리쳤다. 정신이 이상하다며, 병원에 가보아야 한다는 둥. 밖을 나가면 모든 이가 나를 사백안의 눈알로 빠르게 쫓아왔다. 이상했다. 그래서 밖을 나가는 일을 줄이기 시작했다. 두려웠으니까. 나는 그들과 다른 구석이 많았으니까. 나를 미친년 취급했으니까. 그렇게 사람들을 점차 기피해가기 시작했다.

그럼에도 나는 도망치지 않았다. 꽤 무섭기는 했지만…. 너의 가족마저 잊어가는 너라는 존재를, 나라도 기억해 줘야 하니까.

사실 지금까지도 이상하다. 이상한 점이 한두 가지가 아니다. 그날은 이상하리만큼 푸르른 여름날이었고, 너의 까르르 거리는 웃음소리마저도 이상했고, 주변 어른들이 너를 대하는 태도도 이상했고, 그날 자체의 분위기도 이상했다. 그리고 하필 그렇게나 이상한 날에 떠난 너를, 사람들은 애당초 존재하지도 않았다는 말로 유령 취급을 했다. 정말 이상했다. 너는 존재하고 있었고, 존재했는데 말이다.

그랬기에 그만큼 더 너를 열심히 기억 해내기로 마음먹었다. 사실은 그래야만 했다. 그렇게 해야만 숨을 마시고 내쉴 수가 있었다. 그러지 않으면, 내 몸에 여전히 배어 있는 너의 향기에 구역질이 나오는 둥, 정말 괴상한 현상들이 자꾸만 일어났으니까.

사람들이 너를 욕한다. 너를, 그리고 너를 사랑하는 나를. 괴로움으로부터 도망친 너를 비겁하게도 욕한다. 나는 그들을 도무지 이해할 수가 없다. 모두들 괴로움으로부터 도망치며 살아가지 않는가. 너도 괴로움을 피하려, 도망을 친 것뿐인데, 왜. 도대체 어째서 떠나버린 이후의 너 마저도 이런 괴로움을 가지고 있어야 하는가.

한 편으로는 네가 가여웠다. 마음껏 편하지 못하고, 마음껏 행복하지 못하고, 마음껏 사랑할 수 없었던 네가. 아직까지도 수많은 소문에 시달리고 있는 네가. 너라는 아이가 스스로를 죽여낼 수밖에 없었던 그 수많은 이유. 그것 때문에 나도 차마 나를 사랑할 수 없었다. 너를 내 목숨만큼이나 사랑했기에. 어쩌면 그보다 훨씬 더.

그래서 우울에 빠졌다. 바다처럼 깊디깊은 우울이란 황홀에 빠져 헤어 나올 수가 없었다. 4년을 우울이라는 감정에 얽매여 너를 기억해냈기에, 미쳐갈 수밖에 없었다. 그래야만 죽지 않고 살아갈 수 있었으니까. 정신병원에 갇혀 평생을 보낸다 하여도 나는 괜찮았다. 너를 기억해낼 수 있다는 사실 하나만으로 온 세상을 다 가진 기분이었으니까.

정신병원에서의 생활은 꽤나 나쁘지 않았다. 단지 그동안은 쉽게 누리던 자유가 사라졌을 뿐. 네 사진을 보며 채울 수 없는 빈자리를, 종점 없는 외로움을 열심히 채워냈다. 사진으로라도 널 볼 수 있음에 만족해야 했으니까. 내가 너를 그릴 방법은 이것밖에 없었으니까.

사랑한다는 말이 부족할 만큼 너를 사랑했다. 너의 행복한 모습을 넘어서 공허한 모습까지 사랑했다. 너의 마지막 모습 또한 말이다. 난도질이라도 한 듯 잔뜩 짓이겨진 손목이며 팔뚝과, 허벅지까지 모두. 파인 눈알과 뽑힌 머리카락마저 사랑했다. 온 힘을 다해 나 대신 너를 사랑했다. 그때뿐만이 아니다. 지금도 너를 여전히 사랑한다. 너무 사랑한다. 사랑한다. 사랑한다. 사랑한다. 사랑한다.

우울은 전염이 아니다. 내가 만들어 나가는 것이지. 너를 기억할 방법은 나를 너와 똑같이 만드는 것뿐이었으니. 그래서 죽음을 갈구한다. 그러면 너도 기뻐하지 않을까?

'있잖아 우현아. 사람들이 우리를 욕해.'

듣지 못하는 네게 고요히 속삭인다. 네가 나의 음성을 들어주기를 바라며. 귀 기울여 주기를 바라며.

참 우습기도 하다. 성인이 되면 같이 소주 한 병 까기로 했으면서, 성인은커녕 영원히 고등학생으로 남아버린 네가. 우리가 한 약속은 평생 이룰 수 없겠네. 그거 알아? 그날은 이상하리만큼 푸른 어느 여름이었지만, 밤에는 달에서 비가 내렸어. 내가 본 그날의 달은 그랬어. 달을 배경으로 서있는 너에게서 비가 내렸어. 너는 네 이름처럼, 비 내리는 달을 배경으로 영원에 잠식되었어.

그 해 여름을 지나 내 계절은 온통 여름이 되었다. 네가 여름에 떠나버려서, 온 계절을 여름으로 물들일 수밖에 없었다.

그만큼 네가 그리웠다.

차마 그리움을 걷잡을 수가 없었다.

내 기억 속엔 아직도 네가 생생했기에.

나보다 너를 더 많이 사랑해왔기에.

너를 잃을 수 없었다. 기억해 내야만 했다. 끝내 찾아낸 방도는 여름을 삼키는 것. 그리고 모든 계절을 여름으로 칠하는 것. 내가 또 다른 여름이 되는 것이었다.

창문 밖으로는 화창한 해가 뜨고 있다. 새들은 잔잔하게 지저귀고 달콤 쌉싸래한 커피향이 코로 들어온다. 너는 이 평화로움 속에서 가장 찬란한 미소를 짓고 있다. 나는 그런 네게 인사하고, 너는 웃는 내게 또다시 화사한 미소로 보답한다. 너와 함께하고 있다. 우리가 함께하고 있다. 죽음 뒤에도 너의 삶은 여전히 현재진행형이다. 여전하다. 우린 이렇게나 행복한데, 사람들은 어쩜 이리도 유난일까. 왜 우리를 가만두지 못해 안달일까. 나는 약 없이도 이렇게 너와 웃을 수 있는데. 우리는 지구의 가운데에서 그 누구보다도 어여쁘게 공존하고 있는데 말이야.

너는 내게 그 어떤 이보다 행복한 사람으로 살라고 신신당부했지만 나는 그러지 않을 것이다. 흘러가는 시간을 무시하고 과거를 살아갈 것이다. 지금 내 귀를 찌르는 저 시곗바늘 소리도, 사람들의 수다 소리도 모두 거슬려 당장이라도 고막을 터트리고픈 마음이 잔뜩이지만 너를 위해 참을 테니 조금만 더 기다려줘, 우현아. 이곳을 탈출한 뒤 너를 찾으러 갈게. 금방 갈게. 너를 잊지 않을게.

'바다, 가고 싶다.'

'밤바다의 달을 보고 싶어.'

너를 닮은 달을 떠올리며 침대에서 몸을 일으켜 세웠다. 환자복 겉으로 드러난 앙상한 몸을 보고 있자니 떠나기 직전의 네 모습이 떠올랐다. 함께 하자고 약속만 하고 해보지 못한 것들이 넘쳐나서 자꾸만 눈물이 차오른다. 너의 마지막 순간은 행복했을까? 네게 건네지 못한 언어를 입안에서 굴리고 굴린다. 시린 맛만이 더욱 진해질 뿐, 눈물은 여전히 흘러내린다. 거 봐. 아직도 널 그리면 눈물부터 쏟아지는데, 너를 어떻게 잊겠어. 애초에 잊는다는 게 존재할 수 있는 걸까? 사람이 떠나면 목소리부터 서서히 잊어간다는데 나는 아직도 너의 목소리를 잊지 못했다. 여름보다 푸르른 달빛의 음성을 기억하고 있다. 지금 당장도 네가 나를 부르면 눈 감고도 뛰어갈 수 있을 정도로 네가 생생하다.

그동안은 네가 내게서 잊혀 갈 때마다 몸에 칼을 댔다. 흉터를 남겨서라도 너를 잊어버리지 못하게 끝없이 너를 피로 그려냈다. 아프지 않았다. 몸에 상처가 새겨지는 통증보다, 널 잊어간다는 충격이 더 컸기에 괜찮았다. 그런데 지금은 그러지 못한다. 괴롭다. 괴로움이 혈을 말리고 혀를 자른다. 목이 메어온다. 눈가가 시리고 숨이 조여온다. 그럼에도 할 수 있는 게 없다. 이젠 너를 그릴 방법이 너의 사진을 보는 것밖에 없으니까.

내가 이곳에 있는 게 과연 옳은 일일까? 잘 모르겠다. 이곳에 갇혀 너를 마음껏 그리지도 못하는 게 과연 옳은 일일까? 의문이 들었지만 그래도 괜찮다. 너를 조금이라도 그릴 수 있다는 것에 만족해야 하지 않겠는가.

흐르는 눈물을 흠뻑 젖은 소매로 스윽, 닦아 내렸다. 얼굴이 촉촉해 기분이 안 좋았다. 끔찍할 정도로 찝찝했다. 바다에 가고 싶었다. 바다의 깊은 심해를 파고들어 청량감을 잔뜩 삼켜내고 싶었다. 그때, 또다시 막혀오는 숨에 가슴을 세게 두들겼다. 문을 열고 들어온 간호사 언니는 화들짝 놀라며 내 상태를 살폈다. 손끝이 얼었는지 차가웠지만 나를 살피는 손길은 다정했다. 조심스럽고 섬세한 손길에 나는 입꼬리 올려 웃어 보였다. 그제서야 마음이 놓이는지 간호사 언니는 가벼운 숨을 내뱉었다. 그리고는 내게 약을 쥐여주었다. 하얀 알약이다. 온통 하얗다. 흑백밖에 보이지 않았기에.

평소 알약을 잘 먹지 못하는 터라 여러 번 나누어 삼켰다. 목구멍이 작아지기라도 했는지 오늘따라 더 안 들어갔다. 알약과의 힘겨운 사투를 벌이고 큰 숨을 내쉬었다. 그리고 간호사 언니의 지시에 따라 입안을 열어 보였다. 나는 그동안 단 한 번도 약을 숨긴 적이 없다. 그런 행동은 우현이가 원하지 않을 테니까. 모든 것이 끝난 후 눈꺼풀을 찬찬히 두어 번 감았다 떴다. 딸칵, 하는 소리와 함께 간호사 언니가 시야에서 사라졌다. 아, 또 혼자다. 원인 모를 외로움에 그냥 잠을 자기로 결정했다. 현실을 피할 도피처를 찾기 위함이었다.

　꿈은 우현을 대신하는 나의 도피처였다. 그랬기에 무엇이든 할 수 있는 꿈 속으로 자주 들어가곤 했다. 꿈 안은 새까맣게 타버린 심연 속에서 헤엄쳐도 익사하지 않아 인어처럼 살 수 있었고, 나를 가두는 이 한 명 없이 무한한 자유를 누릴 수 있었고, 허공을 유영하는 멋진 날개의 나비가 될 수도 있었다. 다만 우현은 볼 수 없었던 게 오점이지만…. 그는 단 한 번도 내 꿈에 나온 적이 없다. 못되기도 했지. …물론 그를 미워한 적은 없지만. 아니, 있었던가? 아 그래. 네가 나를 두고 떠날 때… 어쩌면 그날은 너를 아주 조금. 아주, 아주 조금은 미워했던 것도 같다. 너는 남겨지는 날 생각하지 않고 떠났으니까. 그래서 매일 밤, 오늘은 네가 내 꿈에 나와 주기를 바라며 잠에 들었다. 그렇게 하루도 빠짐없이 꿈속의 나는 황혼에 잠겨 너를 읊조렸다. 너는 내게 시 같은 구절이었으니까.

　오늘도 나는 우현의 생각을 하며 억지로 잠을 청한다. 하품을 했더니 반쯤 감긴 눈꺼풀에 눈물이 고여온다. 잠에 빠지기 직전이라 굳이 닦아내진 않았다. 오늘은 왠지 평소와는 조금 다른 꿈을 꿀 것 같다.

서아다. 서아가 나온다. 명랑한 햇빛에 비쳐 너의 갈색 눈동자가 반짝인다. 제발 나와달라고 간절히 빌 때는 단 한 번도 얼굴 비추지 않았으면서, 하필 오늘이다. 너의 기일이자, 우현의 기일인. 정말, 하필. 왜 하필. 다른 날도 아니고 오늘인지…. 너와 눈 마주치는 것이 싫어 잠에서 깨기 위해 애썼다. 끝내 너는 나와 눈이 마주쳤지만 말이다.

금방이라도 눈물이 흐를 것만 같아 괴로웠다. 시려 오는 눈은 이미 붉어졌을 테지만 네 앞에서 울기 싫었기에 얼굴을 갈아 끼웠다. 당장 할 수 있는 최선으로 웃었더니, 흐릿하게 비치는 너의 눈빛이 슬퍼 보였다. 아무런 음성도 들리지 않았지만 그렇게 울지 말라고 말하는 것만 같았다. 미안했다. 언젠가 만나게 된다면 세상에서 가장 행복한 얼굴로 맞이하기로 다짐했는데, 기껏 만났더니 고작 가짜 웃음밖에 보여주지 못하는 게. 너는 내게 천천히 다가와 따스하게 안아주었다. 마치 우현이 나를 안아줬던 것처럼….

떨리는 숨소리가 들렸다. 그건 너의 숨소리였을까, 아님 나의 숨소리였을까. 그 어떤 것도 생각할 겨를이 없어 금세 잊어버렸다. 지금 내겐 일 분 일 초가 너무도 소중했다. 더 고운 소리를 담아내지 못하는 귀를, 더 예쁜 모습을 담아내지 못하는 눈을 잔뜩 찢어버리고 싶을 정도로.

그렇게 한참을 서로 부둥켜안고 있다 우리는 떨어졌다. 무슨 상황이 벌어지고 있는지 인지하기도 전에 풍격이 바뀌었다. 이래서 꿈이 좋다. 내가 원하는 자유와 평화로움이 보장되었으니까.

서아는 내 손을 잡고 푸른 하늘 아래 넓게 펼쳐진 녹색의 들판을 뛰었다. 한참 동안 막혀 있던 숨이 뻥 뚫리는 기분이었다. 이곳은 내가 갇혀 있는 곳처럼 답답하지 않았다. 십대가 된 것만큼 자유롭게 뛰어다닐 수 있었고, 역겨운 알약들을 삼키지 않아도 괜찮았다. 서아가 내게 보여준 이곳은 녹음을 삼킨 낙원이었다. 꿈 속에서 만든 또다른 낙원. 의아하게도 푸른 장미가 자리 잡은 이곳. 우리가 다시 만날 가능성을 말해주는 걸까… 심장이 조금 아리었다. 불안감에 숨결이 얇게 떨려왔지만, 들키지 않으려 감정을 죽여냈다. 내게 감정이란 자해와 다름없었으니까. 감정은 자해의 또다른 이름이니까. 감정은 결국 자해니까. 그랬기에 감정은 자해야. 감정은 자해야.

잠에서 깨고 일어났을 땐 창문 밖으로 노을이 내려오고 있었다. 시간 개념 없이 지냈더니 얼마나 잠을 잔 건지도 모르겠다. 목을 축이기 위해 정수기를 향해 걸어갔다. 어린 여학생 세 명이 정수기 앞에서 수다를 떨고 있었다. 방해하고 싶지 않아 다른 정수기 쪽으로 발걸음을 급하게 돌렸다. 아, 또다. 이유 모를 외로움과 종착지란 존재하지 않는 괴로움. 도대체 하루에 이런 기분을 몇 번을 느끼는지. 지금 내 곁엔 우현도, 서아도 없는데. 왜 그 외로움을 여기

서마저 느껴야 하는 것인가.

    내 꿈은 그렇게 바라는 것이 크지 않았다. 그저 우현과, 그저 서아와. 그저 평범한 일상을, 그저 소소한 행복을 느끼는 것. 그게 내가 바라던 나의 꿈이었다. 그림을 그리는 화가가 되고 싶었지만, 그러지 못해도 좋았다. 우현과 서아. 그 둘과 함께라면 죽음마저 동행할 수 있을 정도로 우리는 서로를 사랑해왔다. 우정으로 말이다. 어쩌면, 우정을 넘어서서. 그랬기에 마음이 찢어지게 아플 때도, 가슴이 벅차오르게 기쁠 때도, 우리는 언제나 함께였다. 태어난 순간부터 열일곱까지, 단 한 번도 떨어졌던 적이 없었는데. 우현이 떠나버렸다. 정말 매정하게 말이다.

    너는 왜 우리를 떠났을까. 너희는 왜 나를 떠났을까. 어렸을 적부터 자주 죽음에 대해 속삭였던 우리지만, 끝내 해답을 찾아내지 못했다. 찾을 수가 없었다. 해답을 알려줄 이들이 이미 떠나버렸기에. 참 고단한 인생이다. 아무리 푸르른 청춘도 결국엔 새드엔딩을 맞이할 수 있다는 걸 이제서야 깨달았다. 그랬다. 그렇다. 평생을 청춘으로 장식할 것 같았던 우리의 청춘은 열일곱의 어느 여름날 끝나버렸다. 그때 처음으로 우리라는 이름의 청춘이, 셋에서 둘을 맞이했다. 영원한 빈자리를 머금은 채.

    너를 잃은 충격에 서아는 깊은 심해에 빠져버렸다. 따스한 햇살을 가장한, 어두운 심해를 말이다. 고운 머릿결은 더이상 손으로 빗어 내릴 수 없었고 갈색의 장발은 듬성듬성 잘려 어느새 숏컷이 되어버렸다. 안 그래도 앙상했던 손목은 뼈가 더욱 도드라져 보였고, 숨을 들이쉴 때면 갈비뼈가 드러났다. 2개월도 채 안 되는 기간이었지만 서아는 완벽히 색을 잃었다. 나는 그런 서아를 돌봤다. 내가 할 수 있는 최선으로 그녀를 위로했다. 그래야만 네가 살 것 같았으니까. 그랬기에 나는 우울감을 느낄 시간조차 없었다. 고개를 돌리면 죽음과 한 발 가까워지는 서아였으니.

정신병원에 입원한 서아는 약에 의존하며 지냈다. 모든 사람과의 연락을 끊었고, 허공 속 공허와 대화했다. 차마 삶을 연명할 수 없는 상태에 다다 들었을 때, 서아는 알약 과다 복용으로 끝내 잠들었다. 그날은 우리가 성인이 되는 해의 여름이었고, 우현의 기일이자 너의 생일이었다. 인생이 쓰다는 말을 달고 살던 우리의 인생은 정말 썼다. 단 구석보다 쓴 구석이 많아 커버칠 수가 없는, 그런 인생이었다. 우리를 사랑했던 우리의 결말은 죽음이었다. 그때 처음 알았다. 사랑의 반대말이 죽음이라는 것을. 사실 그러면 안 됐다. 그래서는 안 됐다.

네가 그토록 망가져갈 때, 나는 고작 대학 진학 때문에. 고작 대학이라는 것 하나 때문에 너를 신경 쓰지 못했다. 그 결과가 너와 우현의 죽음이었다. 그리고 내게 주어진 끝없는 고독. 너희를 지키지 못한 벌이었다.

언제 한번 영화 같은 삶을 꿈꾼 적이 있다. 영화 속 대사처럼 멋진 언어를 내뱉으면 멋진 삶을 살 수 있을 것만 같아서. 어린 아이다운 착각이었다. 정말 우스운 착각. 그러나 그땐 너무도 어렸고,

상상했던 모든 것들을 진실로 만들어내고 싶었다. 그래선 안 됐다. 헛된 희망을, 헛된 행복을 꿈꿔서는 안 됐다. 너희에게 자해 흉터를 보여서는 안 됐다. 너희에게 죽음을 속삭여선 안 됐다. 나의 가장 큰 실수였다. 해서는 안 되는 실수. 그게 하필 너희였던 실수.

 우습게도 우리는 인연을 가장한 필연이었다. 만나지 않으려야 만나지 않을 수 없었고, 얽매이지 않으려야 얽매이지 않을 수 없었다. 그랬기에 우리는 서로에 대해 잘 알 수밖에 없었다. 잘 알아야만 했다. 우리는 모두 시들어가는 꽃이었으니까. 우리라는 이름으로 얽매인 아이들은, 하루를 보낸다는 의미보다 버틴다는 의미를 더 잘 알고 있었으니까. 우리는 너무 일찍 철들어 버렸다.

***

잎새달 태어난 그 아이는 눈동자가 예뻤다. 흑빛 진주가 담긴 눈동자는 늘 빛에 물들어 있었고, 짧은 머리카락에선 민트차 향기가 났다. 봄 같은 아이였다. 내뱉는 모든 언어가 마음이 담긴 구절이었고, 나는 그런 네게 반해 사랑을 얘기하곤 했다. 남들이 말하는 사랑을 해보고 싶었다. 시간에, 감정에, 사람에 쫓기지 않고 할 수 있는 사랑을 말이다.

네가 나를 좋아하는지 확실하지는 않았지만 전혀 부끄럽지 않았다. 너의 눈동자만 보면 행복했고, 너의 목소리만 들으면 신경이 온통 너에게로 쏠려 있었다. 피아노 같은 아이였다. 흑과 백이 명확했고 엇박과 정박 또한 또렷했다. 헛디딘 발끝마저 예쁜 멜로디였고 낮은 음성일수록 오래 지속되었다. 너는 내게 그런 사람이었다. 그래서 널 잊을 수가 없다.

'좋아해.'

네가 죽기 직전까지 단 한 번도 내뱉지 못해 본 단어. 늘 입안에서 이 말이 맴돌고, 맴돌았다. 사랑해보다 좋아해가 더 어려웠던 나였기에, 내뱉고 싶어도 내뱉지 못했다. 조금도 흘려본 적이 없다. 한 번쯤은 흘렸어야만 했다. 그랬다면, 그랬다면. 내가 가진 이 죄책감의 크기가 조금은 작지 않았을까. 떠난 너를 미워하지 못해 나를 미워하진 않았을까. 차마 너를 미워할 수가 없어 나를 미워하며 꼬박 4년을 지새웠다. 권태로운 우리의 관계를 지키기 위함이었다. 그런다면, 그런다면. 내가 가진 이 공허함의 크기가 조금은 작지 않았을까. 네가 사무치게 밉다. 밉지 않지만 밉다. 꺼낼 수 없는 모순이 담긴 구절들이다. 어떻게 해야 너를 예쁘게 포장할 수 있을까, 고민하는 어른이 되지 못한 어른의 어설픈 포장.

있잖아, 나는 어여쁜 구절을 적을 줄 몰라.

그저, 그저 어떻게 하면 너를 가장 아름다운 순간으로 기억해낼 수 있을까 하는 거지.

나는 깔끔한 포장도, 화려한 포장도, 사실 어쩌면 포장이라는 것 자체마저도, 모두 할 줄 몰라.

그저, 그저 너였기에 가능했던 거야.

나에게 너라는 추억이 있었기에, 가능했던 거야.

무엇이 옳고 그른 것인지도 몰랐지만 그것만은 알 수 있었던 거야.

너는 내가 적은 가장 어여쁜 구절이라는 거.

이럴 줄 알았으면 사랑한다는 말이라도 더 자주 속삭여줄 걸. 있을 때 잘해주라는 말을 더 귀 기울여 들을 걸.

끝내 나는 너를 잊지 못해 나를 죽여내고 있다. 깊고 넓은 바다에 빠진 오리 마냥, 저의 갈 길을 찾지 못하고 헤매고 있다. 나는 정말 너를 사랑한 게 맞는 것일까. 찾을 수 없는 문제에 빠져 허우적거리고 있다. 돌아가는 시곗바늘에 매달려 위태로이 버텨내고 있다. 당장이라도 떨어질 것 같은 아슬아슬함을 찾아가고 있다. 탈출해 나오는 것이 아닌, 더욱 깊은 곳을 향해 잠수하고 있다.

이런 게 삶일까? 사실 잘 모르겠다. 원래 삶이란 것이 이렇게 각박한 것인가 싶다. 숨을 쉬는 게 괴로워 숨이 멎었으면 한다. 영원히 멎어 사라져 버렸으면 한다. 이런 게 삶이라는 사실을 믿고 싶지 않다.

하늘은 끔찍이도 푸르렀다. 너무도 푸르러 하늘을 향해 잠수하고 싶을 정도로. 한때 내가 사랑했던 것들 중 하나가 하늘이었다. 하늘만은 영원할 것만 같아서, 영원을 염원하고 있었기에. 끝없는 우주를 갈망하고 있었기에.

'푸르러야만 청춘인가요?'

누구든 간에 알려주길 바랐다. 푸르러야만 청춘인지. 푸르지 않으면 청춘조차도 아닌 것인지. 그럼 내 청춘은 도대체 무엇인지. 이딴 걸 푸르다고 칭할 수 있는 것인지. 그 수많은 의구심들을 말이다. 내 청춘은 푸름과 어둠이 섞여 형체를 알아볼 수가 없는데, 과연 이런 청춘도 청춘이라 명명할 수 있는 것인지. 청춘이라 함은 사실 이런 것인지. 그러나 그 누구도 내게 답을 알려주지 않았다. 웃기게도 그건 답이 없는 문제였으니까. 한참의 시간이 지나고 나서야 깨달았다. 심장을 바쳐도 답을 찾을 수 없는 문제라는 걸. 신은 존재하지 않았고, 존재함에도 그런 자비는 베풀어 주지 않았으니까. 간절한 노력은 모두 물거품으로 돌아왔다. 그렇게 나는 숨 쉴 틈 없는 바닷속을 끊임없이 헤엄쳤다. 흔한 난제가 펼쳐진 어두운 꿈속이었다.

　꿈속은 꽤나 다정한 향기를 품고 있었다. 침대에 누워 낡은 사진을 바라볼 때만큼 외롭지 않았고, 내가 잘못한 것만 같은 죄책감 또한 전혀 들지 않았다. 사실 꿈과 현실을 구분하지 못하게 된 지 꽤 되었다. 분명 꿈이었던 것이 실제론 현실이었고, 분명 현실이었던 것이 실제론 꿈이었다. 영 이상했다. 이젠 꿈도 현실도 마음대로 판단할 수 없다는 사실이 분통하기도 했다. 나는 우현도, 서아도, 모두 오래 기억해야만 했으니까. 꿈이란 것에 휘둘리고 현실이란 것에 휘둘려선 안 됐으니까.

　우리는 너무 쉽게 지쳐버렸다. 우리의 관계가 얕았다는 것은 아니지만⋯ 관계라는 것은 작은 말 한 번에, 작은 행동 한 번에 끝날 수 있다는 걸 알고 있었기에. 한 번의 실수로 도미노처럼 쓰러질 수 있다는 것을 알고 있었기에. 그럼에도 서로의 죽음에는 수치 한 번 느끼지 않고 슬퍼했다. 뜨거운 물이 제 살가죽을 벌겋게 물들이는 줄도 모른 채 한참을 쪼그려 앉아 있는다든가, 차가운 눈발이 온 몸을 파고드는 줄도 모른 채 한참을 맨몸으로 서있는다든가, 하는 일들 말이다. 누군가는 이 글을 보고 멍청하다며 웃겠지. 우리에게만 웃기지 못한 이야기인 거겠지.

볼썽사나운 민낯, 잔뜩 푸석해진 머리칼. 매일매일 곱씹는다. 있을 때 잘할 걸. 있을 때 잘해야만 했는데, 하고. 신께 사죄의 말씀을 드려본 적도 있다. 이렇게 하면 우현이 꿈속에 나와주지 않을까, 그렇게 하면 서아가 꿈속에 나와주지 않을까, 싶어서. 내가 너희를 잊고 싶지 않아서. 그러나 시간은 너무도 빠르게 흘렀고 신은 참으로도 매정하셨기에, 나의 애달픈 울음소리는 결코 그들에게 전해지지 못했다.

우현이 깊은 잠에 빠진 후, 서아가 그를 따라가자 나도 이성의 끈을 놓을 뻔한 적이 있었다. 하긴 제정신이라면 그게 더 이상했을 테지만. 아무튼 그날은 우현을 집어삼켰던 푸른 여름날과 유사했고, 어두운 밤에 비치는 비 내리는 달빛이 자꾸만 나를 유혹했다. 그날 나는 나의 모든 연을 끊었다. 밤바람이 나를 죽음의 문턱으로 이끌어서. 너의 목소리가 그날따라 더욱 선명해서. 네가 나를 찾으며 울부짖어서. 그런 이유들 때문에, 우현이 그랬던 것처럼 비 내리는 달을 배경으로 영원에 잠식되고 싶었다. 다시금 활짝 웃고 싶었다. 네가 떠난 후 잃어버린 웃음을 되찾고 싶었다. 가짜 웃음이 아닌 진짜 웃음 말이다. 그날은 그래야만 할 것 같았다. 모든 것이 엉망진창인 하루였다.

무거운 눈꺼풀을 겨우겨우 들어 올렸을 때 보인 것은 흑백의 천장이었다. 내 팔에 꽂힌 링거도 흑백이었고, 엉엉 우는 사람들도 모두 흑백이었다. 긁힌 듯 상처가 난 살갗들마저 흑백이었다. 흑백의 세상에 공포심을 느끼고 살점을 뜯어내 피를 보았다. 여전히 흑백이었다. 그때였나, 모든 세상이 흑백으로 물들어버린 순간이.

　너를 위해 초록의 향이 나는 편지에 짤막한 글을 적어 내렸다. 아, 초록이 아닌 분홍의 향이 나는 연서인가. 아님 하양의 향이 나는 답서인가. 어쩌면 남색의 향이 나는 회고록일 수도. 무엇이든 간에 상관없다. 그저 너만이 담겨 있으면 된다.

　그날의 달은 붉었다. 여름 하늘에 체리가 맺혀 있는 것처럼, 새빨갛게 붉었다. 너무도 불그스름해 이것이 체리인지 하늘인지 구분조차 되지 않을 정도로 붉었다. 체리를 좋아하던 네 모습이 떠오른다. 그 순간이 영원하리라고 믿었는데 결국 끝은 이렇게 맺어졌네.

　방 밖으로는 어린 소녀들의 수다 소리가 스쳐 지나간다. 바람처럼 빠르고, 기억처럼 느리게. 아니, 어쩌면 그 반대인가? 바람처럼 느리고, 기억처럼 빠르게. 그 소음 속에 어린 날 웃음 가득했던 우리의 모습이 숨겨져 있는 것만 같았다.

　아주 오래 전에, 그러니까 지금으로부터 대략 8년 전에, 상처받은 사람의 시간은 상처받은 그 시간에 멈춰 있다는 말을 보았다. 그게 맞는 말이라는 걸 이제서야 알게 된 것 같다. 1년이 지나고 5년이 지나고 10년이 지나도 깊숙이 박힌 상처는 여전히 마음 속에 남아있었으니까. 하늘에 맺힌 별들이 울고 있다. 이 수많은 별들 속에 우현과 서아가 있을까. 그렇다면 내가 죽으면, 나도 별이 될 수 있을까. 아파서 죽은 사람들은 별이 된다는데, 나도 별이 될 수 있을까.

"이 설님. 주무셨어요? 제가 주무시면 안 된다고 했잖아요."

난감해하는 표정. 그러나 상관없다. 어차피 금방 퇴원할 건데, 뭐. 이기적으로 보일 수 있지만 사실이다. 지금은 환자와 간호사의 관계지만, 퇴원을 하고 나면 정말 남이 될 텐데. 어설픈 정을 주고 어설픈 실망을 하고 싶지 않다.

"미안해요."

"아니에요. 다음부터는 졸려도 조금만 참기로 해요. 알았죠?"

"네."

짧은 대화가 끝이 났다. 목이 메어 물을 마셨더니 들큼한 맛이 났다. 그저 맹물이었는데 말이다. 꿈이 너무 달았나, 하는 생각을 하며 내가 있어야 할 자리로 돌아왔다. 여전히 무료하고 괴롭다. 우현을 위해 힘껏 웃고 있지만 나아지는 것은 없다. 마음도, 몸도, 모두. 그렇지만 참아낸다. 무던히 해오던 것들이니까. 익숙하다.

오래된 물건에는 마음이 담긴다고 한다. 그래서 버리지 못한 편지들과 우정 아이템들이 집안 구석구석 숨겨져 있다. 그것들이 없으면 살아갈 수 없다. 그러나 꺼내어 보지는 않는다. 이유 모를 슬픔 때문에 울고 싶지는 않기에.

편지에 적힌 철자 하나하나가 마치 오래된 낮잠 같다. 내가 지금 느끼는 이 감정은 연민일까, 동정일까, 아님 수많은 이유들을 머금은 사랑일까. 차마 형용할 수 없는 감정들이 온 몸을 솟구쳐오른다. 이건 뭘까. 네가 와서 내게 답을 알려주면 좋겠다. 너는 언제나 답을 알려주는 아이였으니까.

-20XX년 X월 XX일-

있잖아, 우리 별 같은 사랑을 하자.

너무 눈에 띄지도, 밝지도 않을 만큼.

수많은 별들 속에 묻혀 평범한 사랑을 하자.

맑은 공기가 필요할 때면 언제든 숨 쉴 수 있게

우리 다음에 만나면 꼭, 별 같은 사랑을 하자.

기억하고 있다. 열일곱의 우리를. 내게 별 같은 사랑을 하자며 속삭이던 너의 음성. 그날의 온도와 습도 그리고 분위기. 잔잔하게 울려 퍼지는 낮은 톤의 목소리가 얼마나 간지러웠는지. 네가 몇 번 눈을 감았다 떴는지까지. 모든 것을 세세하게 기억한다. 정작 나에 대한 것은 기억하지 못하고 말이다. 웃기지, 우현아? 나 아직도 너를 이따금이나 기억해내는 사람이야.

자랑을 하고 싶었다. 네가 내게 그랬던 것처럼, 나도 네게 멋진 사람이 될 수 있다고. 마냥 쓸모 없진 않다고. 우현이 떠난 후 그런 행동은 서아에게로 넘어갔다. 그리고 그걸 증명하려던 날이 서아와의 마지막 날이었다.

무참한 삶이다. 자살은 과연 자살이 맞을까. 나는 자살의 진짜 말이 타살이라고 생각한다. 끝내 그들의 목을 죄여오고, 숨통을 틀어막은 것은 타인이 아닌가. 우현이 그렇게 세상을 떠났는데. 나에게서 떠나갔는데.

하늘에선 비가 내리고 있다. 너희의 생각을 하며 지냈더니 벌써 퇴원을 코앞에 두고 있다. 그동안 감사했다는 말을 한 마디로 나는 이곳에서 빠르게 빠져나온다. 우산이 없어 비를 맞을 수밖에 없었다. 쫄딱 젖은 모습으로 돌아다녔더니 사람들이 불쌍한 눈빛으로 쳐다본다. 역겹게 시리.

식도에서 오르내리는 구토를 힘들게 참아냈다. 다 젖은 운동화가 너무도 묵직하고 찝찝했다. 벗을 수도 없고, 이거 원. 우현의 사진은 가방 깊숙이 넣어뒀으니 괜찮을 거다. 그래야만 해. 점차 빨라지는 발걸음을 부단히 움직여 집으로 향했다. 불쾌한 기분에 횡단보도 신호마저 무시하고 건넜다. 내 모습을 본 사람들의 눈빛이 따가웠지만 괜찮았다. 내 기분이 훨씬 중요했으니까.

　허공을 부유하는 상상들은 이내 꿈이 되어 나타나고는 한다.

　혼란스러움을 종결하기 위한 어떠한 방법이라고, 어릴 적 부모님께서 말씀해주신 구절을 떠올렸다. 집에 도착하고 도어락 비밀번호를 누르고 현관에 발을 들일 때까지. 영 이상한 이 기분은 무엇일지…. 숨이 막혀 옥상이 뚫려 있는 건물을 찾아가 계단을 올랐다. 아쉽게도 높은 아파트는 아니었다. 6층 정도 되는 빌라였는데, 지은 지 얼마 안 된 건지 깨끗했다. 언제 산 건지 모를 담배 한 개비를 꺼내 라이터로 불을 붙였다. 옥상 끝자락에 걸터앉아 하늘을 올려다보았다. 흑백의 노을이 내려오는 게 예뻤다. 한참을 그렇게 앉아 있다 담배를 버리고 주머니 속에 들어있는 낡은 일기장을 꺼내 읽었다. 열일곱에 끝나버린 일기를 이어 쓰고 싶었다. 순수하게 그림을 그리고, 글을 쓰고 싶었다. 겉만 번지르르한 말이 아니라, 나의 진짜 진심이 담긴 말들을 쓰고 싶었다. 열일곱의 '이 설'이 아닌, 스물 한 살의 '이 설'이 되고 싶었다. 낡은 일기장의 마지막 페이지를 펼쳐 이젠 적어 내릴 수 없는 구절들을 뱉어냈다.

　보통의 동화들을 보면 '공주와 왕자는 결혼 후 오래오래 행복하게 살았습니다-'라는 이야기의 엔딩을 맞이하고는 한다. 나의 엔딩도 그럴 수 있기를 바랐다. 내가 공주고, 우현이 왕자가 되어 서로를 지켜내 끝내 해피엔딩을 맞이하는 것. 그게 내가 바라던 우리의 동화였다. 해피엔딩을 바랐다. 그런데 나는 공주가 아니었나 보다.

나는 우현을 지키지 못했다. 우현은 이제 나의 곁에 없다. 그래서 서아가 죽었다. 모두 나의 서투른 불찰 때문이었던 거다. 나의 자해 흉터를 보여줘서. 죽고 싶다는 말을 꺼내서. 우현은 티 한 번 내지 않았는데. 내가 너무 철이 없어서. 그래서, 그래서 너희가 떠난 걸까….

별이 되고 싶었다.

별이 되어 너를 그리고 싶었다. 너무 특별하지도, 너무 무난하지도 않게.

별이 되어 우리라는 동화를 예쁘게 적어 내리고 싶었다. 너희와의 추억을 그려내고 싶었다. 잊을 수도, 잃을 수도 없는 기억을 할 수 있는 한으로 예쁘게 포장하고 싶었다. 오랜 바람이었다.

사람이 떠나면 남겨진 사람들은 미친다더니, 그게 진짜였는지….

생전 신이 있다고 믿지도 않던 내가 별의별 구걸을 다 해보았다. 피로 맺은 서약을 어설프게 따라하고, 칼로 살점을 도려내고, 설익은 복숭아를 먹고 두드러기에 감싸이고. 나름대로의 발악이었다.

죽고 싶었지만, 사실 진짜로 죽을 용기는 없었거든.

차가워진 몸을 일으켜 세웠다. 몸을 돌려 옥상 밑바닥을 밟았다. 어두워진 주변에 불빛 한 점 없는 이곳. 으스스해 온 몸에 소름이 돋았지만 한참을 가만히 서있었다. 그래야만 할 것 같은 느낌이었다. 당장이라도 죽을 것만 같은 공포가 나를 뒤덮고 있었으니까. 악몽을 꾸는 느낌이었다. 설마 서있는 채로 잠에 빠져 가위에 눌린 것은 아닐지. 그런데 정신이 멀쩡했다. 그저 이유 모를 공포만이 남아 있을 뿐. 여름이라서 그런 건가 보다. 하필 여름이라서. 내가 온전한 여름을 삼켜내지 못해서 그런 건가 보다. 그런 거야. 그런 거

야. 그런 거야. 직접적으로 내게 최면을 걸었다. 붉어져오는 눈시울을 달랠 방법이 없었기에.

체감 상 1시간은 서있었던 것 같다. 하늘은 온통 검은 심연으로 물들었고, 사람들의 그림자 또한 가로등에 비치는 것이 전부였다. 새까만 하늘에 보석 십 자수처럼 박힌 별들의 형체가 아름다웠다. 웃기게도 나는 또 너희 생각을 하고 있다. 매순간, 매 삶이 너희다. 이름처럼 비 내리는 달에 떠난 우현, 새벽에 태어나 새벽에 떠난 서아. 나는 이제 눈 내리는 날에 떠나면 되겠구나. 그러면 딱 맞겠다. 아쉽게도 너희와 같은 날에 떠나진 못하네…. 개명이라도 할까, 하는 잡생각들을 하며 계단을 내려갔다. 정말 빛 줄기 하나 없이 캄캄해 몇 번이나 발을 헛디뎠다. 식은 땀이 등골을 타고 흘러내렸다. 오랜만이라 너무 긴장해서 그랬거니 싶어 가죽 외투를 벗었다. 한쪽 팔에 외투를 걸쳐 들고 마저 계단을 내려갔다. 유리로 된 문을 열고 집을 향해 빠르게 걸었다. 밤이기도 하고 시간에 쫓기는 것도 아니라 횡단보도 신호는 지켜줬다.

'오랜만에 케이크나 사먹을까….'

눈에 보이는 아무 빵집으로 들어갔다. 팔리지 않은 케이크들이 진열된 모습이 조금은 가엾기도 하다. 종종 느끼는 이런 감정들이 어색하지만 어떡하겠나. 느낄 감정은 느껴야지. 아마 블루베리로 토핑되고 연보라색일 케이크를 가리켰다. 내가 제일 좋아하는 케이크라서 단번에 알아볼 수 있었다. '이거 하나 주세요.'라는 말이 끝나기도 전에 직원은 케이크를 후딱 꺼내 계산대 위로 올려 놨다. 약 3만 2천원에 달하는 가격이었다. 케이크가 원래 이 가격이었나 싶어 잠시 놀랐지만, 빠르게 계산을 마치고 가게를 나왔다. 밖으로 나오자 시원한 바람이 나를 스쳐갔다. 땀이 식고 나니 조금 추운 감이 있어 가죽 외투를 힘겹게 입었다. 몇 개월을 환자복만 입고 지내다 원래 입던 옷을 입으니 익숙하지가 않았다. 마치 처음 입기라도 하는 것처럼 말이다.

***

우리라는 이름의 여름 청춘 이론은 한나절의 따스한 사랑 공기였다.

그랬기에 그 해 여름은 끔찍이도 달아 혓바닥이 오그라들 정도로 아려왔지만, 웃음이 도무지 멈추지를 않았던 예쁜 동화가 담긴 여름이었다.

너희를 생각하며 적었던 구절들을 조곤조곤 읊조렸다. 오래도록 생각하며 적어 내린 글자들이다. 아끼고 아끼다 못해 썩기 직전인 글. 이제서야 꺼내 읽는 구절들이 너무 아프다. 어린 나이의 나는 무슨 생각을 하며 저런 글들을 적어 내렸을까 싶어 안쓰럽기도 하다. 고작 열셋, 열다섯, 열일곱의 아이들이 왜 그리 아팠어야만 했는지.

우리의 오래된 비극은 나로부터 시작되었다. 정확히는 초등학교 4학년밖에 되지 않았던 그때 그 시절, 나의 부모님으로부터. 늘 한쪽이 폭발하고 다른 한쪽이 참아내며 위태로웠던 부모님의 관계는 추운 봄날에 산산조각 나버렸다. 10년이나 지났지만 아직도 그때를 생생히 기억하고 있다. 평생 잊을 수 없는 상처였으니까. 잊어서는 안 되는 상처니까.

소주병을 집어 던지는 모습부터, 상기된 목소리, 취기에 붉게 달아오른 뺨과 사백안의 눈알까지. 모두. 술 냄새가 풍기던 부엌에 앉아 부모님을 지켜볼 수밖에 없었던 나도, 깨진 유리에 어쩔 수 없이 식탁을 밟고 내 방으로 향할 수밖에 없었던 처지까지. 모두. 모두 기억하고 있다. 그리고 미워하고 있다. 평생을 미워했다. 앞으로도 미워할 것이다. 내게 무한한 애정을 베풀 것이라 약속하고 영원한 믿음을 약속해도 나는, 미워할 것이다. 찢어지게 미워하고 증오할 것이다. 그때 그래서는 안 됐다는 걸 뼈저리게 느끼게 할 것이다.

매일을 울고 또 울었다. 하염없이 눈물만 흘렸다. 어린 나는 할 수 있는 게 아무것도 없어서. 아무짝에도 쓸모가 없어서. 그저 울고, 웃고, 다시 울고, 다시 웃고. 그렇게 내 감정을 죽이고 죽여내다 끝내 잃어버리는 것밖에 할 수가 없어서. 고작 어리다는 이유로 나는 아무런 힘도 없었기에.

우스운 삶이고 우스운 세상이다. 그리고 우스운 나다. 고작 엄마의 눈물 한 방울 때문에, 고작 아빠의 눈물 한 방울 때문에, 차마 부모님을 미워하지 못하고 세상을 미워하는 것이. 나를 그렇게 절벽으로 몰아갔던 것이. 너무도 억울함에. 내가 솔직한 감정을 표현하지 못하게 된 이유가 하필 그런 이유라서. 차마 부모님께 말씀드릴 수도 없게 만든 세상 때문에. 그렇게 모든 이유를 세상이란 핑계로 세상을 증오했다. 호흡할 틈이 그것밖에 없었으니까….

그 다음 비극의 대상은 우현이었다. 마치 우현의 앞날을 암시하 듯, 그날도 푸른 여름이었다. 매미의 울음소리가 고막을 찌르고, 뜨 거운 햇살에 온 몸이 녹아내리는. 웃음소리와 땀냄새만이 가득할 것 같은 하루였다. 다만 그날 아침, 그러니까 이른 새벽에 비가 내 렸다. 불길하게 비가 내렸다. 그리고 3시 30분이 조금 넘은 새벽, 우현의 친한 지인이 깊은 잠에 빠졌다. 아마도 원인은 학업 스트레 스로 인한 자살. 그날 우현은 학교에 나오지 않았다. 그 소식을 알 길이 없었던 나와 서아는 평소처럼 장난스레 우현을 찾아갔고, 처 음으로 우현의 우는 얼굴을 보았다. 잔뜩 일그러졌으나 차마 소리 내어 울지 못하고 끅끅 거리는 신음에 눈물이 고였다. 그때 일찍 알아차렸어야 했다. 우현도 그렇게 떠날 수 있다는 걸 말이다. 그래 야만… 했는데. 너무 늦어버렸지만.

오랜 첫사랑이자 마지막 사랑이었기에 나에겐 우현의 빈자리가 너무도 컸다. 후유증이 괜히 후유증인 게 아니었다. 부피가 늘어나 고 늘어나 더이상 바로잡을 수 없을 정도로 커져버려서 병이 되었 다. 어쩌면 조금만 더 일찍 알아차렸어도 서아는 죽지 않았을 것이 다. 그리고 우현이 죽지 않았을 것이다. 이렇게 나는 또다시 의미 없는 후회를 곱씹는다.

'내가 그 해 여름을 삼켰다면, 우리가 우리로 남아 있었을까?'

이제 내 곁에 없는 '우리'에게 작은 음성을 내뱉는다. 메아리처럼 귓가를 울리는 언어는 내가 뱉은 말뿐이다.

34

봄, 그리고 여름. 이제 남은 건 가을과 겨울뿐이었다. 불안감에 답변이라도 해주듯 서아의 비극은 가을에서 겨울로 넘어가는 11월에 닥쳐왔다. 그 해는 중학교 2학년의 끝자락을 달려가고 있던 6년 전이었고, 어릴 적부터 체력도 건강도 좋지 않았던 서아가 피아노 학원을 그만두며 일어났다. 우는 모습보다 웃는 모습을 자주 보였던 서아는 몇 개월을 우울에 빠져 헤어 나오지를 못했다. 재발하는 건초염과 불안했던 정신 상태가 겹쳐 끝내 자퇴까지 할 정도로. 내가 생각했던 것보다 서아는 여리고 약한 아이였다. 그저 웃었을 뿐. 웃어야 주변 이들이 걱정하지 않을 테니까.

사실 나는 배드민턴 수업 도중 손목이 아프다며 우는 너를 이해하지 못했어. 고작 아픔 하나 못 참는 게 너답지 않아서. 그런데 나의 잘못된 생각이었어. 그냥 너는 웃는 게 습관화되어 있던 아이였는데. 그 웃음은 진짜 웃음이 아니었는데.

'그렇게 웃지 마. 그건 웃는 모습이 아니라 우는 모습이잖아….'

아직도 우리의 사진 속 웃고 있는 너를 보면 이렇게 속삭이고는 한다. 부모보다 친구를 더 믿을 시절에, 친구마저 믿지 못한 너는 얼마나 많이 아팠을까. 이 글을 읽는 너는 얼마나 많이 아팠을까, 걱정이 돼서. 당장이라도 무너질 것만 같은 마음을 힘겹게 붙잡고 있는 건 아닐까, 걱정이 돼서.

그렇게 보낼 수 없는 편지에 빼곡히 적어놓은 언어.

이거 모두 다 너를 위한 구절들이야.

너는 과연 알고 있을까….

마음이 텅 빈 느낌이다. 고요한 방이 지닌 이 적막함이, 위태로이 버티고 있는 빛 바랜 불빛 하나가, 세상에 속하지 못한 나를 설명하는 것만 같아서 아프다. 마음이 아픈 걸 넘어서 심장이 아프다. 울고 싶다. 눈물이 나오지 않는다. 울지 못하는 나를 보며, 웃고 있는 네게 담담히 얘기한다.

어쩌면 나, 조금은 이 상황이 웃기기도 해. 인생은 게임이라잖아. 근데 죽고 나면 환생은 안 되는… 일회용 목숨으로 플레이하는 게임. 그게 우리의 삶이었나 봐. 우리가 이렇게 끝날 줄 알았다면 너와 함께 단둘이 바다라도 가볼 걸 그랬다, 우현아. 바보같이 보고 싶다, 좋아한다, 사랑한다. 이 말을 못 해보고 널 보낸 내가 너무도 바보 같아. 멍청해. 나 바보 멍청이야. 역시 네가 한 말은 다 정답이네. 네가 또 맞췄네.

있잖아, 우현아. 혹시 그거 알아?

사랑은 누구에게 상처받을지 정하는 거래.

그래서 나는 네게 상처받으려고.

네게 받는 상처는 뭐든 괜찮을 것만 같거든.

그게 만약 죽음이 아니라는 가정 하에 말이야.

삐뚤빼뚤한 글씨로 적어 내린 글. 네가 실망하면 어쩌나 고민돼 몇 개월 동안 글씨를 교정하느라 애썼다. 참 애썼다. 애썼어. 그리고 이 글을 적고 있는 지금도, 애쓰고 있어. 내 글을 읽는 네가 얼마나 애썼을 지 생각하면서 나도 애쓰고 있어. 그러니까 살았어야지. 그러니까 살아가야지. 살아야지. 우리, 살자.

더는 볼 수 없는 그 미소를 직접 보고 싶다. 울음 머금은 비명을 매일 밤이면 밤마다, 새벽이면 새벽마다 소리쳤는데 한 번도 네게 닿은 적이 없다. 마음을 물들이는 법보다 마음을 물들이라 하는 것이 더 익숙했던, 서투른 열다섯의 사랑 표현 방법이었다.

따사로운 햇살에 눈을 떴다. 하얀 방 안에서, 하얀 침대 위에 누워, 하얀 이불을 덮고, 하얀 햇살을 맞이하고 있다. 온 세상이 하얗다. 또 하양이다. 나아지는 줄만 알았는데 또다시 하양이다. 신경질스럽게 머리카락을 헝클어뜨리며 몸을 일으켜 세웠다. 꼿꼿하게 선 허리는 언제 또 긁힌 건지 살가죽의 표면이 미세히 뜯겨 있었다. 아랑곳하지 않고 그 표면을 붙잡아 벌렸다. 붉은 눈물이 울컥, 울컥. 둥둥 매달려 있는 살가죽을 찢으니 또다시 붉은 눈물이 울컥, 울컥. 쾌감이 느껴졌다. 몸이라도 아프니 마음이 덜 아파서 뜯어진 살갗의 표면을 더욱 넓게 벌려냈다. 붉은 눈물이 쏟아져 나왔다.

붉은 눈물을 부어내고 나니 그동안은 알 수 없던 감정들이 해소되는 기분이었다. 왜일까. 마음이 편안했다. 무언가에 홀리기라도 한 듯 곧장 책상 서랍을 모두 열어젖히고는 커터 칼을 꺼내 들었다. 드드득- 하는 짧은 소리와 함께 살갗을 베어냈다. 이전에는 느껴보지 못했던 쾌감이 쏟아진다. 미친 듯이 살을 긁어냈다. 대략 오십 번은 그었나 보다. 여러 번 베여 뜯겨 나간 살점들과, 서로 엉겨붙어 끈끈해진 살점들이 눈에 띄었다. 그 사이를 비집고 붉은 혈이 흐르고 있었다. 물방울이 맺히는 정도가 아니라, 물처럼 흐를 정도의 피가 쏟아져 나오니 그제서야 조금 겁이 났다. 죽으면 어쩌지, 하는 공포감. 서둘러 휴지로 피를 닦아내고 상처를 소독하고 붕대로 돌돌 감았다. 빠른 속도로 붉게 물드는 붕대에 우현과 서아의 모습이 그려졌다.

"젠장!"

팔을 돌돌 감싼 붕대를 황급히 풀어내고 새로운 붕대를 더욱 두껍게 감았다. 감고, 감고, 감고, 감고, 또 감고……. 붕대를 다 쓰고 나서야 내가 무슨 짓을 하고 있는지 알아차릴 수 있었다. 모든 게 이상했다. 나아진 것만 같았던 정신 상태가, 오히려 전보다 심해진 것 같다. 우울했다. 아니, 무기력했다. 우울을 넘어선 무기력함에 자리에서 도무지 일어날 수가 없었다. 일어나면, 일어난다면… 넘어질 것만 같다. 무너질 것만 같다. 이 기분을, 이 상황을 종잡을 수가 없을 정도로. 도움이 필요했다. 구원이 필요했다. 서아가, 그리고 우현이 필요했다. 너희가 있어야만 한다.

식사를 하지 않았지만 전혀 배가 고프지 않았다. 오히려 속이 더 부룩해 아무것도 먹고 싶지 않았다. 인간은 왜 먹어야만 살아갈 수 있을까. 내게서 너희를 그리기도 바쁘고 바쁜 이 시간에, 도대체 어째서. 역겨움에 토가 나올 것 같다. 벌써 속을 몇 번이나 게워낸 지 모르겠다. 지친다. 병원에서는 아무 문제도 없었는데, 이제서야 이런다는 게.

　하늘에선 굵은 빗방울이 내리고 있다. 창문에 부딪혀 주르륵 흐르는 빗줄기들을 보며 생각했다. 언제가 좋을지. 역시 눈 내리는 날인가… 라는 생각을 하며 유통기한이 지난 과자 봉지를 뜯었다. 맡기만 해도 짭조름한 감자칩 냄새였다. 검지와 엄지를 사용해 과자를 집어 들어 입으로 쑤셔 넣었다. 짠 맛이 강해 목이 말랐다. 냉장고에 들어 있는 오래된 생수를 꺼냈다. 그냥 마시려 했으나 어째 상태가 불길해 그냥 마시지 않기로 했다. 물은 또 사면 되는 거니까…. 과자 기름이 묻은 손을 후딱 씻고 겉옷을 챙겨 입었다. 청치마와 잘 어울리는 청재킷이었다. 아직 여름이긴 하지만 슬슬 여름의 종점을 향해 달려가고 있기에, 따스운 옷을 챙겨 입기 시작했다. 원래 추위를 심하게 타는 편이기도 하고. …물론 아직까지도 내 사계절은 온통 여름이지만. 투명한 우산 하나를 챙겨 든 후 현관문을 열고 나갔다. 아까보다 더욱 거세진 빗줄기에 순간 닭살이 오소소 돋았다. 괜히 청바지와 청치마를 입었나 싶었다. 물에 젖으면 무거워질 텐데…. 약간의 걱정을 곁들이며 서둘러 편의점으로 발걸음을 옮겼다.

　하늘이 새까맣다. 분주히 걸어 다니는 사람들은 점차 사라지고, 가로등의 불빛들이 차례대로 켜진다. 마치 도미노처럼, 마치 꿈을 꾸는 것처럼 어두컴컴하다. 어쩌면 죽음을 삼킨 것도 같다. 하늘을 삼켜야만 할 것 같다.

　한 손에는 지갑, 한 손에는 생수를 들고 밤하늘을 올려다보았다.

부산하게 흩어지는 별들이 아름답다. 저 별들은 모두 어떤 사연을 가진 채 별이 되었을까. 누군가의 울음일까, 누군가의 영혼일까. 저곳은 숨쉬기 편안할까? 나도 저 우주로 가고 싶다. 무한함을 가진 우주에서 숨쉬며 살고 싶다. 아무런 소음도, 방해도 없는 낙원에서 살아가고 싶다. 이곳은 너무도 시끄럽고 괴롭다.

그날 밤, 신기한 꿈을 꿨다. 별이 되는 꿈이었다. 우주라는 공간에 잠겨 별로 태어나 잠에 드는 꿈. 서아와 우현은 없었지만, 꽤나 지낼 만했다. 시끄러운 소음도 없었고, 나를 방해하는 이 또한 없었다. 고요했다. 그래서 좋았다. 더이상 누군가를 신경쓰지 않아도 되었기에. 더이상 나를 죽여내지 않아도 되었기에.

하늘에선 여전히 비가 내리고 있다. 달력은 10월의 중순을 가리키고 있고 내 계절은 여전히 습하디 습한 여름이다. 가을을 넘어서 곧 겨울이 되겠지만, 내 계절은 변함이 없다. 영원을 지닌 여름이다.

09월 03일에 태어난 그 아이는 남을 사랑하는 법을 모르는 아이였다. 사랑을 받아본 적도, 나눠본 적도 없어 사랑에 서투른 아이였다. 자신의 감정을 내뱉을 구석이 없어 감정을 글로 써 내려가는 아이였다.

만약 이 글이 세상 밖으로 전해진다면, 아이를 탓하지 말아 주기를. 그저 도망칠 구석이 필요했다는 것만을 알아주기를. 아이는 그저 아이였다는 것을 알아봐 주기를 바라며.

04월 30일에 태어난 그 아이는 우는 법보다 웃는 법을 잘 알던 아이였다. 사람들은 우는 모습보다 웃는 모습을 좋아한다는 걸 알기에. 그래서 우는 법보다 웃는 법을 먼저 터득한 아이였다.

만약 이 글이 세상 밖으로 전해진다면, 아이를 탓하지 말아 주기를. 그저 표현할 구석이 필요했다는 것만을 알아주기를. 아이는 그저 아이였다는 것을 알아봐 주기를 바라며.

08월 09일에 태어난 아이는 살아가는 법보다 죽어가는 법을 잘 아는 아이였다. 삶은 너무나 길고 호흡할 공간은 존재하지 않다는 걸 아는 아이였다. 호흡하는 법을 몰라 죽음을 택한 아이였다.

만약 이 글이 세상 밖으로 전해진다면, 아이를 탓하지 말아 주기를. 그저 호흡할 구석이 필요했다는 것만을 알아주기를. 아이는 그저 아이였다는 것을 알아봐 주기를 바라며.

나는 사랑을 받을 줄도, 나눠줄 줄도 몰랐다. 우현은 우는 것보다 웃는 모습을 보여주던 아이였고, 서아는 살아가는 방법보다 죽어가는 방법을 잘 아는 아이였다.

우리 셋은 그렇게 모였다. 세상이 온통 흑백으로 물들어 가는 줄도 모른 채 말이다. 그게 익숙했다. 세상이 정말 흑백으로 변하기 전부터 우리의 세상은 이미 흑백이었으니까. 숨을 내쉬는 것보다 숨을 멎게 만드는 게 더 편한 우리였으니까.

어쩌면 그런 게 아니었을까.

우리에겐 '고생했어'라는 말 한마디가,

우리에겐 '괜찮아?'라는 말 한마디가,

간절하게 필요했던 거야.

사실은 미안하다는 말이 필요했다. 너의 마음을 알아주지 못해서 미안하다고. 그 말 한 번뿐이면 모두 괜찮아질 것 같다. 그러면 내 마음이 치유될 수 있을 것 같다. 딱 한 번이면 되는데, 그게 너무 어려운 부탁이었나 보다.

열일곱의 나는 너를 잃고 어린 어른이 되어버렸다. 마음이 병들어버린 서아를 돌보느라, 정작 나의 마음은 돌보아 주지 못해서. 내 세상에 온통 색을 칠해놓고 매정하게 떠난 너를 잊지 못해서. 사실

나 자신이 웃기기도 했다. 내가 네게 그랬잖아. 네가 떠나면 나도 떠나겠다고. 근데 정말 웃기지 않아? 나 멀쩡하게 잘만 살아가고 있어. -사실은 꾸역꾸역 죽어가고 있어.- 있잖아 나는. 나는…. 아직도 나를 떠난 네가 이토록 생생해. 네가 너무 보고 싶어. 정말 사무치게, 사무치게 보고 싶다. 그래서 열일곱의 나는 너 때문에 어린 어른이 되어버렸어.

그렇다고 서아를 원망한다 거나 하는 것은 아니야. 서아도 너만큼이나 그립고 사랑하고 있어. 내가 서아를 이따 만큼이나 사랑한다는 걸, 서아 네가 알 지는 난 네가 아니라서 잘 모르겠지만… 그래도 넌 이미 알고 있을 거라고 믿고 있어. 너는 타인의 마음에 대해 잘 아는 아이였으니까.

8월에 태어난 네가

무더운 여름을 굳건히 버텨내고

가을에는 더욱 많이 웃을 수 있었으면 해

예쁜 글씨로 예쁜 단어만 적고 싶어, 지우개로 벅벅 지워가며 적어 내린 글. 이것 봐. 아직도 나는 너희에게 해줄 말이 너무 많다. 그곳에서 끼니는 거르지 않고 있는지, 어딘가 아픈 구석은 없는지. 그렇게 수백 번 너를 적은 오래된 서소에는 종착지란 없는 괴로움만 남아버렸다. 차마 먼저 떠난 너희를 미워하지 못해, 너희를 지켜내지 못한 나를 미워할 수밖에 없었던.

나는 너희를 조금 더 사랑했어야만 했다. 그랬다면 내 죄책감의 크기가 이렇게까지 크진 않았을 텐데. 적어도 너희 없이 멀쩡히 호흡할 수 있었을 텐데. 최근에 그런 말을 들은 적이 있다. 숨을 마시고 내뱉는 것처럼, 아픔도 마시고 내뱉는 거라고. 근데 아닌 것 같다. 아픔은, 아픔은… 끝없이 괴로워야만 하는 것이다. 아파야만 숨을 쉴 수가 있다. 하루라도 아프지 않으면 죽을 것만 같다. 장미가 되지 못했기에 장미에게 찔리는 삶이라니, 얼마나 우스운가. 아픔을 아픔이라 말할 수 없는 사회가 얼마나 가혹한가.

사회는 우리에게 얘기한다. 힘들면 얘기하라, 전화하라, 신고해라. 그런데 정작 돌아오는 것은 철없는 어린 아이의 사춘기. 그때 일찍이 알았어야 했다. 세상은 내 편이 아니라는 걸. 우리가 없어진다고 해서 세상이 멈추지는 않는다는 걸. 오히려 아무 일도 없이 잘만 돌아간다는 사실을 알았어야만 했다. 그렇다면 내가 그런 선택을 하진 않았겠지. 그랬다면 너희가 이렇게 떠나가진 않았겠지. 알아봐주기를 원했던 거잖아. 알아 봐줄 사람이 필요한 거잖아. 내가 이제 알아 봐줄 수 있는데. 너희를 알아 봐줄 자신이 있는데.

정신과에서 하는 약물 치료는 아무런 소용이 없었다. 약효가 드는 건지, 아님 약효가 들길 바라는 건지 모를 의문만이 남았을 뿐. 나아지는 것 같지 않았다. 날이 갈수록 우울에 근접해졌다. 다만 조금 놀랐던 건 있다. 아무도 몰라주던 나의 상처가, 마음이, 고작 종이 몇 장에 나온다는 게. 나를 알아봐 주는 게 고작 초면인 사람들이라는 게. 그런 사실들이 웃겼다.

아는 사람은 많은데 정작 힘들 때 연락할 사람 한 명 없다는 사실이 자꾸만 나를 무기력하게 만들었다. 기댈 기둥 하나 없다는 게 너무 힘들었다. 정말 힘들었다. 힘들었다. 힘들었어요. 힘들었어. 힘들어.

***

-20XX년 XX월 XX일-

그동안 많이 애썼어. 네게 무슨 일이 있었는지는 잘 모르겠지만, 참 많이 애썼어. 울지 않고 웃느라 애썼어. 고생이 많았어. 힘든 모습을 숨기고 우는 모습을 숨기고 너를 숨겨내느라 애썼다, 설아. 네가 모든 걸 내려 놓더라도 나는 화내지 않을게. 울고 싶을 땐 울어야지. 쉬고 싶을 땐 쉬어야지. 휴식이 있어야 다시 걷고, 달리지. 아무도 널 탓하지 않아. 눈이 부을까 봐 겁나? 뭐 어때. 그렇게 해서라도 네 감정이, 네 슬픔이, 네 우울이 해소된다면 나는 뭐든 좋아. 나는, 그리고 우리는 언제나 널 사랑할 준비가 되어 있는 사람들이야. :)

아주 오래 전 내가 나에게 썼던 글이다. 위로는 자신이 듣고 싶은 말을 하는 거라는 소문이 진짜였다. 결국에 내가 내게 건네는 위로는 모두 내가 듣고 싶었던 구절이었다.

어떤 위로는 누군가에게 위로가 아닌 거대한 상처로 남는다고 한다. 그래서 위로가 아닌 공감을 찾아 헤매었다. 공감도 결국엔 위로가 됐으니 말이다. 그렇게 울고 웃고를 반복하다 보면 나도 조금은 나은 인간이 되지 않을까 싶었다. 나조차도 사랑하지 않는 나를 누군가가 사랑해주지 않을까 싶었다. 이기적이게도 나는 우울을 삼킨 주제에 사랑이란 감정을 갈구하고 있다. 그렇게 나는 또 어린 아이 같은 생각을 하며, 불빛 한 점 없는 어두운 방 안을 홀몸으로 빠져 나와 한참을 서있었다. 새벽인 건지 해가 올라오고 있었다. 세상은 여전히 흑백으로 뒤덮여 있다.

모든 게 복잡하다. 속수무책 흘러가는 시간도, 그걸 따라 흐르는 나의 시간도. 그 놈의 시간, 시간, 시간. 초능력은 이럴 때 필요한 건데. 어릴 때 소원을 너무 많이 빌어버렸다. 그러지 않았으면 너희가 살아날 수도 있을 텐데. 모두 나의 불찰이다. 미숙했던 나의 실수. 여름을 삼켜내지 못한 실수. 모두 다 내 잘못이었던 거다.

눈물을 거칠게 닦아내고 다시 집으로 들어갔다. 여전히 불빛 한 점 없이 어둡다. 암막커튼에 가려진 창문은 빛을 뿜어내지 못해 안간힘을 쓰고 있다. 나를 제외한 모두가 이리도 열심히 살아간다. 어둠은 있는 힘껏 어둡게, 빛은 있는 힘껏 환하게 말이다. 그런데 나는 도대체 뭘까. 이제는 이루고 싶은 목적도, 꿈도 없는데. 그럼 나는 무얼 해야 나의 자리를 지켜낼 수 있는 걸까. 시트가 다 가라앉은 침대 위에 앉았다. 슬리퍼를 대충 벗고 침대 위로 다리를 올려 쪼그렸다. 아무도 나를 찾지 않는다.

눈을 감으면 그날의 기억이 떠오른다. 차마 겁에 질린 눈꺼풀을 감을 수가 없다. 시려 오는 눈시울에 속눈썹이 부들부들 떨리지만, 감을 수가 없다. 초등학교 4학년 때의 기억이, 중학교 2학년 때의 기억이, 고등학교 1학년 때의 기억이 떠오른다. 그날은 평소처럼 학원에 다녀온 후였다.

사건이 일어나기 이틀 전, 토요일. 어머니는 혼자가 무서웠던 내게 처음으로 자신이 여행을 다녀오면 어떨 것 같냐는 말을 했다. 나는 당연 싫다 했지만 월요일, 학원을 마치고 집으로 돌아온 나는 어머니 없는 집을 마주했다. 불안감에 울음을 머금고 연락을 했지만 돌아오는 답변은 없었다. 여행을 다녀온다는 한마디뿐. 그때 처음으로 나의 본격적인 불행이 시작되었다. 나는 노을이 내려오는 창문 밖을 바라보며 하염없이 어머니를 기다릴 수밖에 없었다. 주인 잃은 강아지가 된 것 마냥 기운이 없었다. 아마 그쯤부터 내가 어머니와 떨어져 자기 시작했던 것 같다. 혼자가 되더라도 불안해하지 않고 살아가기 위함이었다. 어쩌면 자기 방어이기도 했던 방법으로 말이다. 나를 지켜야만 했으니까. 그렇게 매일 밤을 혼자 울며 지새웠다. 고요한 방 안은 고작 핸드폰 불빛 하나가 끝이었고, 머리맡에 둔 수많은 인형들이, 그리고 거대한 토끼 인형 하나가 내가 의지할 유일한 친구였다.

끝내 부모님은 나를 떠나가셨지만. 나는 아직도 어머니의 말을 기억한다. 불쌍한 아버지를 따라가라던 어머니의 말씀을 기억하고 있다. 차마 울 수도, 차마 웃을 수도, 차마 내 감정을 말할 수도 없었던 그 때를 명확하게 기억하고 있다. 나는 평생 그 기억들을 안고 살아가다 끝을 맞이하겠지.

내가 떠나야 하는 때가 자꾸만 다가온다. 죽음에 가까워질수록 살고 싶어지진 않을까 걱정했는데, 다행이 그런 마음은 없다. 10월의 끝자락을 달려가는 지금, 나는 가장 찬란한 죽음을 맞이할 준비가 되었으니까.

시야가 검붉다. 색은 꿈에서만 보였었는데…. 그 순간, 핑 돌며 이지러지는 눈 앞에 도무지 중심을 잡을 수 없었다. 어떻게든 넘어지지 않으려 버텼지만 끝내 넘어지고 말았다. 갑작스러운 상황에 왼쪽 발목이 꺾였다. 상태를 봐야 하는데 앞이 보이지 않았다. 쌓아 온 피곤에 잠이 쏟아졌다.

'바다, 보러 가야 하는데….'

끙끙거리며 겨우 자리에서 일어섰다. 요즘 영 몸 상태가 이상하다. 식사를 제대로 하지 않는 것도 있겠지만 아무래도 이상했다. 직접 죽지 않아도 곧 죽을 것만 같았다. 모순적이게도 직감이 좋지 않았다. 분명 좋은 직감은 아니었다. 모든 게 불길했다.

생각을 급하게 정리해내고 청재킷을 걸쳐 들었다. 택시를 타기 위해 서둘러 예약한 장소로 향했다. 배에서는 꼬르륵 하는 배꼽시계가 시끄럽게 울려 댔다. 언제부터 있었는지 모르겠는 초콜릿 과자 한 개를 입안으로 집어넣었다. 입가에 초콜릿이 묻었는지 살짝 찝찝했지만 이내 엄지손으로 스윽 닦아 내렸다.

그런 날이 있다. 도무지 울음이 멈추지 않는 날. 그리고 도무지 웃음이 나오질 않는 날. 내게도 그런 날이 있었다. 그날은 우현이 떠난 후 딱 일 년이 흐른 날이었고, 서아가 떠나기 이 년 전이었다. 역시나 하늘이 울고 있었고, 나는 서아가 사라져 온 동네를 뒤지고 다니던 때였다. 다만 그동안과 다른 점이 있다면, 하늘이 푸르렀다는 점이다. 여우비라도 내리는 듯이 하늘이 맑았다. 나는 그 맑음 속에서 서아를 찾아야만 했고, 서아는 보이지 않았다. 어릴 적부터 네가 좋아했던 장소를 샅샅이 찾아봐도, 어릴 적부터 네가 숨어 울던 장소를 꼼꼼히 살펴봐도, 너는 없었다. 그렇게 2주라는 시간이 흐른 후 네가 나타났다. 몰골이 쇠퇴해 당장이라도 죽을 사람처럼 보였다. 그러나 정작 그런 본인의 모습을 서아는 모르는 듯했다. 너무나 편안한 표정이었다. 꼭 모든 걸 내려놓은 것처럼….

세상이 우리를 탓한다. 떠난 너희를, 그리고 너희를 지키지 못한 나를. 가족이라는 울타리? 그런 건 없었다. 그저 모든 게 우리의 잘못이었다. 성숙하지 못한 죄. 끝까지 호흡하지 못하고 자살을 한 죄. 자살이 말이 자살이지, 사실은 자살을 가장한 타살이었다는 것도 모른 채. 너희가 얼마나 억울할지 모르겠다. 살아있는 나도 이렇게 억울한데, 너희는 얼마나 억울할까. 세상 밖으로 내몰린 그 아이들은 얼마나 서럽고 외로울까. 고작 열일곱, 고작 스물인 아이들이다. 아직 터무니없이 어린 아이들이다.

세상이라는 바다에 익사할 것만 같다. 호흡할 공간이 필요한데 호흡할 수 있는 공간이 없다. 산소가 없다. 사람이, 사회가, 자꾸만 산소를 빼앗아 간다. 우리가 숨쉴 공간은 애초에 존재하지 않는다. 산소를 만드는 법을 배우지 못했는데 스스로 터득했다. 그러지 않으면 익사할 테니까. 우리는 아직도 이 넓은 바다 한 가운데에서 애처로운 헤엄을 치고 있다. 끊임없이 발버둥을 치고 있다. 사실은 우리도 살고 싶었다. 그 누구보다 살고 싶어 산소를 만들어냈다. 살고 싶었다. 그저 살고 싶었다.

하늘에서는 흐르다 못해 굳어버린 눈물이 떨어지고 있다. 하늘이 울고 있다. 어쩌면 지금의 내 모습은 아닐까 하고 거울을 본다. 웃어야만 해서. 웃어야만, 하니까….

세상은 나의 비명을 듣지 못했다.

***

어린 시절부터 바다를 좋아했다. 겉과 속이 다른 모습이 마치 나 같아서 동정심이 들었다. 겉은 푸름을 삼킨 듯 밝지만, 속은 검정 물감을 삼킨 듯 어두워서. 그 모습이 마냥 밝아야만 했던 나에게 또다른 도피처가 되어주어서. 그래서 바다를 좋아했다. 바다에 뛰어 들면, 무엇이든 할 수 있을 것만 같았다. 포근함에 익사해도 좋을 정도로. 만약 우현이, 만약 서아가 나의 바다였다면 기꺼이 잠식되었을 정도로. 그 정도로 바다를 갈망해왔다.

내가 바다를 좋아한다는 사실을 안 우현이 내게 영원함을 속삭인 적이 있었는데, 우현은 거짓말쟁이였다. 너는 거짓말쟁이였다. 마치 영원은 존재한다는 것처럼, 마치 대단한 사랑이라도 할 것처럼. 그 렇게 내게 영원을 말해주었으면서, 내게 사랑을 말해주었으면서. 너 는 그 무엇도 지켜낸 게 없다. 너는 우습게도 거짓말쟁이였다. 이게 너의 유일한 거짓말이었다. 네가 내게 남긴 유일함.

그래도 너를 조금은 더 믿을 걸 그랬나 보다. 네게 조금은 더 의지할 걸 그랬나 보다. 나는 아직도 사람이 무섭고, 사람을 믿지 못하는 내가 무서워서… 아무도 믿지 못하는데. 너는 믿었어야 했다. 너를 믿었어야만 했다. 그저 스쳐 지나가는 연으로 대해서는 안 됐다. 그저 스쳐 지나가는 사랑으로 대해서는 안 됐다. 사람이 사랑이 되고, 사랑이 죽음이 되는 데에는 그리 오랜 시간이 걸리지 않는다는 것을 알았어야만 했다. 조금만 더 일찍 알아챌 걸. 내 감정에만 바쁜 게 아닌 너의 감정도 신경 써줄 걸. 미안해. 미안해. 미안해…. 미안하다는 말밖에 안 나와. 네가 아니라 내가 죽었으면 좋았을 텐데. 내가 너의 대체품이었다면 좋았을 텐데. 그러게. 그랬어야 했는데.

나는 여전히 혼자다. 모두가 날 떠나는 듯한 기분이, 온 세상이 날 등진 듯한 기분이, 이 넓은 공간에 나 혼자만이 남은 것 같아서 누구라도 붙잡으려 애썼는데. 누가 내 발에 본드라도 붙여 놨나 발걸음은 도저히 떨어지지 않고, 결국 지쳐 떠나가는 사람들. 네가 그 중 한 명일까 봐 두렵다.

바다 바람이 차다. 거칠게 춤추는 파도가 눈 앞을 아른거리고, 발가락 사이사이로는 모래 알갱이들이 자리 잡는다. 손에 들린 하얀 운동화, 머리에 쓴 하얀 캡 모자. 내가 가장 잘 볼 수 있는 색들로 이룬 코디다. 좀 웃기려나…. 예전에는 이맘 때쯤에 죽도록 더웠는데, 지구 온난화가 확실히 지구를 망쳐 놓긴 했나 보다. 세상이 지켜주지 않아서 망가졌나 보다. 꼭 우리처럼. 푸흡. 웃음만 나왔다.

그저 웃음만 잔뜩 나왔다. 이렇게 여름을 지나 가을이 다가오고, 가을을 느끼기도 전에 겨울이 다가오겠지. 그럼 내가 정말 별이 될 수 있겠지. 이젠 두려움조차 느껴지지 않는다. 그저 즐겁고 웃기다. 이렇게 끝없는 악순환만 반복하다 멸망할 세계를 생각하니 좋았다. 그렇게라도 우리를 괴롭힌 고통을 느낄 수 있기를. 그렇게라도 우리를 무시한 대가를 받을 수 있기를. 그렇게라도 우현과 서아의 울분을 대신해 토해낼 수 있기를. 우리가 우리로 남을 수 있기를.

　차 안은 적막한 공기만이 흐르고 있다. 유리창에 머리를 기대고는, 금방이라도 잠들 것만 같은 졸음을 꾸역꾸역 참아내고 있다. 잠을 자고 싶다. 잠에 빠질 것만 같다. 그러다 문득 이런 생각이 들었다. 왜 잠을 자야 하는 걸지. 왜 우리는 자꾸만 잠에 빠지는 걸지. 왜 아침이 아니라 저녁에 잠을 자는 걸지. 나는 아침보다 밤이 좋은데 도대체 왜. 바보 같을 수도 있다만 그런 생각이 들었다. 내게는 아침보다 밤이 익숙해서.

　힘이 드는 일이 있을 때, 때로는 '죽지 마.'라는 말보다 '죽어.'라는 말이 더 힘이 될 때가 있다. 사람들은 언제나 내게 죽지 말라는 말뿐이었지만, 사실 그건 이기적인 게 아닌가 싶기도 하다. 나의 아픔에 대해 무엇을 안다고 죽지 말라 명령하는가. 왜 시킨 적도 없는 조언과 위로를 하는가. 나는 아무런 말도 하지 않았는데. 그래서 나는 '죽지 마.'라는 말보다 '죽어.'라는 말을 더 좋아한다. 어차피 이 세상의 모든 것은 영원하지 않는다. 모두 제 각각의 끝이 있고, 결국엔 떠나게 될 잔상일 뿐이다. 그러니 죽고 싶어 하는 사람들에게 왜 굳이 살아가라 말하는지 이해하지 못하겠다. 화를 낸다고? 그럼 그건 정말로 죽고 싶은 사람이 아닌 거겠지. 죽음이 간절한 사람이 아닌 거겠지. 왜 간절하지도 않은데 헛된 죽음을 꿈꾸는가. 그럼 정말 간절한 사람들이 억울하지 않겠나….

무섭다. 내가 하는 모든 것들이 의미 없는 일일까 봐. 그래서 무섭다. 내가 나를 사랑하지 못할까 봐. 우현과 서아가 내 마지막 사랑일 것만 같아서, 무섭다. 이젠 옥상 위로 올라가는 것도, 옥상 난간에 기대어 서있는 것도, 모두 두렵지 않은데. 왜 무서워해야 할 것은 무섭지 않고, 무섭지 않아야 할 것은 무서운 건지 모르겠다. 나에 대해 의문이 쌓인다. 그 의문이 큰 탑이 되어 내 길을 자꾸만 가로 막는다. 무얼 어떻게 해야 할지 모르겠다.

그저 소소한 행복을 누리고 싶었어.

그렇다고 불행이 없기를 바라는 것도 아니야.

그저 수많은 불행 속에 소소한 행복이 있었으면 했어.

남들이 말하는 것처럼, 나도 간절하게 기적이 필요했어.

내게는 네가 있어야만 하니까. 나는 네가 필요하니까.

그저 소소한 행복을 누리고 싶었어.

최소한의 호흡은 할 수 있을 정도로만. 딱 그 정도로만 말이야.

우습게도 신은 내 말을 들어주시지 않으셨지만.

언제부터 나는 하루하루를 무의미하게 보내고 있었다. 그저 오늘 하루가 빨리 끝나기를 바라며. 오늘 눈을 감으면 내일은 세상이 멸망해 있기를 바라며. 매일을 꼬박 그렇게 보내왔다. 호흡하는 것이 아니라, 멎어가는 삶을 보내왔다. 어쩌면 오늘 하루도 그렇게 보낸 것 같다. 부디 내일의 나는 없기를 바라며. 부디 내일은 눈을 뜨지 않기를 바라며.

세상이 너무 각박하다.

죽음이 다가와도 편히 떠날 수 없다는 게 너무도 각박하다. 왜 우리는 허덕이는 숨결조차 허락되지 않는 걸까. 어째서 우리는 멸망이 도래하는 이 세상 속에서 마지막까지 구원받지 못하는 걸까. 따가운 허상만이 눈가를 아른거린다. 끝끝내 우리는 녹아내리겠지. 역시나 그런 엔딩으로 맺어지겠지. 애초에 우리에게 해피엔딩이란 존재하지 않았으니까.

있잖아, 가끔은 죽어 마땅한 사람들이 있대. 어쩌면 그게 우리였나 봐. 그래서 너의 엔딩이 슬펐나봐. 그 말이 진짜였나 보다. 그거 알아? 전생에 꽃으로 태어났던 사람들은 다음생에 그 꽃의 꽃말처럼 사랑하게 된대. 나는 상사화로 태어났었나 봐. 상사화의 꽃말 중 하나가 이룰 수 없는 사랑이라서, 그리고 그리움과 슬픈 추억이라서. 그래서 네가 이 모든 걸 가지고 있나 봐. 그랬구나. 그랬던 거야. 그랬기에 우리의 사랑이 이루어지지 못했나 봐. 그랬기에 네가 나의 그리움으로 남았나 봐. 그랬기에 네가 나의 슬픈 추억으로 남았나 봐. 사실 너를 죽인 건 세상이 아니라 나였나 봐.

너를 적은 글들을 도대체 몇 번이나 퇴고한지 모르겠다. 어떻게 쓰든 늘 만족되지 않아서 수십 번을 퇴고하던 나였는데, 이제는 퇴고를 멈춰볼까 생각 중이다. 그저 어린 아이의 순수한 사랑으로 남았으면 해서 그런다. 그래도 너는 알아 봐줄 것이라 생각한다. 당장이 아니라도 좋다. 이곳에 적힌 너라는 인물은 서아기도 하고, 너이기도 하며, 나이기도 하지만. 그렇게 다양한 너라는 인물 중에서 우현이 네가 제일 많았다는 것을, 나중에라도 알아주었으면 한다. 그거면 된다. 세상이 무너져도, 나는 너뿐이면 되니까. 나는 너뿐이면 만족할 수 있으니까. 네가 내 세상이고, 네가 내 우주니까. 나는 너와 맞닿은 수평선마저도 사랑하는 사람이니까. 네가 남긴 또다른 유일함이 나니까.

여름의 마지막 절정이 다가온다. 곧 있으면 가을이 되고, 가을을 실컷 만끽하기도 전에 겨울을 맞이하겠지. 푸르게 시린 입술 사이로 작은 음성을 울려본다. 귓가에는 내 음성에 대답이라도 하는 듯, 여름의 소리가 들려온다. 창문을 모두 열고, 이불을 갠다. 날씨가 꽤나 시원해졌다. 오렌지가 시지는 않을까 걱정했는데, 한 입 베어 물은 오렌지에선 아직도 여름의 단맛이 난다. 이제는 옷 매무새 잘 챙겨 입어야겠구나. 따듯한 가디건 하나를 걸쳐 입었다. 창문 밖으로는 새들의 지저귐이 나를 반긴다. 마치 떠나지 말라는 것만 같다. 물론 나는 오랜 여행을 떠날 준비를 끝마쳤지만.

여름의 절정이 붉다. 색을 잃은 눈동자가 색을 찾아가는 것만 같다.

'조금만… 더 살까.'

이젠 아무런 의미 없는 고민을 하고 있다. 어차피 인생은 시한부
인데 조금 빨리 가는 게 뭐 어떻다고. 그때, 계절이 바뀌는 소리가
들려온다. 영원한 푸름을 약속하는 듯한 산들바람이 절정의 여름을
삼켜내겠지. 먹다 남은 오렌지를 마저 입속으로 집어넣으며 속삭이
듯 중얼거린 언어.

"이런 어리광은 괜찮겠지."

인터넷에서 그런 글을 본 적이 있다. 어차피 언제 죽을 지 모르
는 시한부 인생인데, 맘껏 즐기다 가야 하지 않겠냐고. 그런데 나는
생각이 조금 다르다. 무의미한 것 같다. 어차피 언제 죽을 지 모르
는 시한부 인생인데, 조금 일찍 가는 게 죄인가? 나는 이미 너라는
불치병에 걸려버렸는데. 사람들은 말만 쉽게 내뱉는다. 내뱉은 말은
다신 못 줍는데 말이다. 인생이 그렇게 쉬운가? 왜 죽으려는 사람
을 살리려 들고, 왜 죽음을 택한 사람을 욕하는 걸까. 내 장례식장
에 와줄 것도 아니면서…. 언제나 제멋대로인 인간들이 염오스럽다.

만약 내가 죽는다면, 네가 내 장례식장에 제일 먼저 와주면 좋겠
다고- 생각한 적이 있었는데. 이제는 내 장례식장을 차려줄 사람도,
와줄 사람도 모두 없다. 나는 혼자다.

'이럴 줄 알았으면 사랑이라는 감정을 느끼려 애쓰지 말 걸.'

나는 여전히 비겁한 사람이다.

나는 여전히 못난 사람이다.

이럴 줄 알았으면 너와 함께 죽을 걸 그랬어.

우현아.

엔딩이 다가오고 있다. 언제쯤 첫눈이 내릴지 기대된다.

눈을 뜨고 보니 침대 위였다. 어떻게 집으로 들어온 지조차 기억나지 않아 혼란스러웠다. 술을 마신 기억은 없는데. 냄새도 안 나고, 컨디션도 멀쩡하고…. 마루바닥은 온통 게워낸 토사물로 한가득이다. 토사물을 보고 나니 속에 숨겨져 있던 온갖 역겨움이 올라온다. 나는 성숙하지 못하다. 아직도 과거에 잠겨 있다. 아직도. 아직도….

나는 무분별한 살생을 좋아하고는 했다. 그게 현대 사회의 모습과 너무도 유사했기에. 그런데 우현과 서아를 잃은 지금은 사실 잘 모르겠다. 역겹다. 너무도 역겨워 당장이라도 속을 비워내고 싶다. 세상이 우리에게 너무 혹독하다. 생동감이라고는 하나 없는 낯으로 살아가야만 한다. 발목에는 녹슬은 족쇄가, 손목에는 밧줄이 묶여 있다. 타인을 위해 만들어진 꼭두각시였던 거겠지. 그저 그런 존재였던 거다, 우리는.

어릴 적 산타라는 존재에 기대감을 안고 살았던 사람들이 있을 거다. 그러나 산타는 존재하지 않았다. 울지 않고 꾹꾹 참아왔지만 산타는 존재하지 않았다. 울면 안 된다는 노래도, 그저 아이들의 우는 모습이 싫었던 어른들, 우는 모습이 귀찮았던 어른들이 만들어 낸 가짜였을 뿐이다. 365일을 웃는 가면으로 지냈지만 산타는 오지 않았다.

우리는 '그저' 사회를 위한 꼭두각시일 뿐이다. 사회가 잘 돌아가기 위해, 어른들이 더 높은 곳으로 올라가기 위해 만들어낸 게임이라는 것이다. 조금이라도 삐끗하면 계단에서 넘어지고 만다. 재시작이라는 것은 없다. 일어나는 방법조차 알려주지 않는다.

우현아. 우리는 왜 이리도 고달프게 살아가야만 하는 걸까. 왜 서로를 사랑하기도 부족한 시간에 온갖 난제를 다 겪어야만 하는 걸까. 나는 아직도 답을 모르겠어. 투박한 이들의 음성만이 내 귀를 울려. 손목에는 횡단보도가, 허벅지에는 바코드가 그려져 있어. 팔뚝에는 차마 보여주지 못하겠는 상처투성이뿐이야. 나 너무 아파. 나 너무 괴로워. 세상이 숨이 막혀. 산소가 오염돼서 차마 숨을 쉴 수가 없는데, 그럼에도 쉬어야만 해. 그러지 않으면 살아남을 수가 없어. 나는 아직 너희를 기억해야만 하는 시간이 남았는데, 어떡해. 사람들이 너희는 애초 존재하지도 않았던 사람처럼 대해. 왜 그러는지 모르겠어. 나, 전생에 대역죄인이었나 봐. 그래서 지금 이렇게 고통스러운 걸까? 그래서 지금 이렇게 죽을 것만 같은 걸까…? 무서워. 무섭다. 우리라는 이름의 청춘이 여기서 맺어질까 봐. 우리가 열일곱으로, 스물로, 스물 하나로도 기억되지 못할까 봐 두려워. 모두가 나를 떠났어. 새로운 인연조차 만들지 못하겠어. 그 사람들마저 나를 떠날 것만 같아. 우현아, 답 좀 알려줘. 너, 나 알잖아. 너 없인 못 사는 거. 너도 알잖아. 너의 유일함이 나라는 거. 그러니까 나 좀 도와줘. 나 좀 살려줘. 나 좀 구원해줘.

살려주세요.

"우리나라가 청소년 자살 1위래."

"에, 정말? 왜?"

"그러게."

너와의 마지막 대화였다. 차마 대답할 수 없었다. 세상이 수많은 청소년들을 내몰고 있다는 것을.

내가 네게 그 사실을 얘기했다면, 조금은 달라졌을까?

과거로 돌아가고 싶다. 지금의 기억을 가진 채 과거로 여행을 떠나고 싶다. 딱 한 번의 기회라도 좋으니 나는 너희가 필요하다. 내 마음 속에 남겨진 영원한 여백을 채워줄 이가 필요하다. 나도 이젠 너희의 여백을 채워줄 수 있는데.

사실 열일곱의 이 설은, 금방 성숙해질 줄 알았어. 내가 본 고등학생들은 언제나 성숙해 보였거든. 근데 아니더라. 나는 내가 더욱 성숙해질 줄 알았는데, 성숙해지기도 전에 네가 떠나버렸어. 그래, 맞아. 결국 나는 너 없는 공허함에 먹혀버린 거야. 잔인하게도 잡아먹혀버린 거야. 실은 알고 있었어. 네가 언젠가는 떠날 거라는 걸. 그냥 내 눈에는 그게 보였어. 우리 부모님이 이혼하셨을 때의 눈빛과 너무도 닮아 있었거든. 근데 그게 죽음일 줄은 몰랐는데. 네가 내게 남기는 마지막 선물이 너의 죽음일 줄은 몰랐는데 말이다. 그냥… 해탈했어 이젠.

내가 아무리 노력해도 네가 돌아오지 않을 거라는 걸 안다. 내가 아직도 네 입가에 맺힌, 미세한 커피 잔향을 사랑하고 있다는 걸 안다. 어떻게 잊겠는가, 너의 향기가 수중의 중앙을 가로지르며 고이 떠도는데. 어떻게 잊겠는가, 너와 만들어낸 묽은 추억 속의 잔향을 여전히 사랑하는데.

열일곱의 우리를 두고 시간이 흐른다. 내 시간은 여전히 밤이다. 아침이 밝아올 생각은 없는 건지 어두컴컴하다. 문 밖으로 알량한 이들의 목소리가 들려온다.

"씨발."

백 만년만에 하는 욕 같다. 그냥 욕이 하고 싶었다. 타인을 배려하지 않는 저 소음이 끔찍하다. 멈추지 않는 소음은 때론 살인 충동을 불러일으키기도 한다. 사실 지금 당장도 가능하다. 의자로 저들의 머리를 내려치고 싶다. 살인을 하고 싶다. 육체를 찢고 심장을 꺼내고 싶다. 억울한 죽음들을 살려내고 싶다.

물론, 그러면 안 되지. 모두 헛수고일 테니까. 내게 안온함이란 존재하지 않는 게 맞으니까.

웃자란 아이들은 어른이 되지 못한다고 한다. 되더라도 아주 오랜 시간이 걸린다고 한다. 정확히는 어른을 강요당한 아이들이. 어쩌면 나도 그랬던 것 같다. 어릴 적부터 성숙한 어른을 강요당해왔다. 모두 성숙한 아이를 좋아했으니까. 당연하다 생각했다. 나도 찡찡거리며 울기 바쁜 어린 아이들보다는, 자기 할 일 잘하는 성숙한 아이들이 좋았으니까. 근데 그때는 잘 몰랐던 것 같다. 저마다의 나이대와 어울리는 모습이 있는 건데 말이다. 그것조차 모르고 당시의 나는 어른스러움을 흉내내며 살아왔다. 어차피 그게 익숙했기도 하고.

허나 생각보다 어렵지 않았다. 그저 잘 웃고, 해야 하는 일을 성실하게 해내고, 책임감 있게 행동하면 되는 문제였다. 어쩌면 그 문제는 울지 않는 것만으로도 쉽게 해결되었던 것도 같다. 이게 바로 어른들이 만들어낸 모습이다. 어른을 강요당한 아이들의 모습. 그리고 조금이라도 삐뚤어지면 사춘기다 뭐다 하며 가스라이팅을 해대지. 우리는 여전히 각박한 세상 속에서 어른스러움을 강요당하며 살아가고 있다. 호흡하는 게 아닌, 호흡 당하며 죽어가고 있다.

D-3

계절은 빠르게도 바뀌어 어느새 11월의 중반을 가리키고 있다. 금방 눈이 내리고 내 마지막을 장식하게 되겠지. 조금 기대도 된다. 나의 마지막이 눈과 함께일 거라고 생각하니, 예쁠 것 같아서. 눈은 금세 봄을 안고 오고는 했으니까. 나는 그렇게 겨울에 잠식되고 화창한 봄을 가져오겠지. 내 마지막이 찬란했으면 한다. 혼자서도 외롭지 않은 죽음을 맞이했으면 한다. 나는 겨울에 떠날 거다.

추운 겨울의 끝자락에서도 나는 영원히 너를 염원할게.

-20XX 년 XX 월 XX 일-

To. 이 글을 읽을 너에게.

한껏 성숙해졌다 믿었던 그 해의 추운 겨울밤,

나는 너의 옆에 앉아 나누었던 이야기들을 모두 기억하고 있어.

비록 우리는 이제 우리가 아니지만,

그래도 우리 그때,

그래도 너와 나 그때,

꽤나 근사하지 않았어?

너도 그렇게 생각하기를.

너도 그렇게 기억하기를.

온 마음을 담아 끄적거린 소박한 글. 네가 이 글을 읽어줄지는 잘 모르겠지만, 만약 읽어준다면. 만일 내 소원이 이루어진다면. 나는 행복하게 겨울에게 나를 맡길게. 더이상 끝없는 우주를 갈망하지 않을게. 너를 그리워하지 않을게. 여름을 삼키고, 내가 될게. 영원한 여름이 될게.

영원함이란 존재하지 않는다는 걸 너무 늦게 깨달아 버린 것도 같다. 조금만 더 일찍 깨달았다면 훨씬 좋았을 텐데 말이다.

이곳에 남겨진 나는 또 의미 없는 후회를 일삼아 내뱉어내고 있다. 흑백으로 물든 검은 세상 아래에 서서 가장 찬란한 죽음을 기대하고 있다. 최후를 그려내고 있다. 여름을 삼키고 있다.

D-2

움직이는 시곗바늘을 보고 있자니 첫눈이 내릴 날이 정말 얼마 남지 않았다는 게 실감이 났다. 저번에 봤던 빌라는 너무 낮았는데 … 라는 생각을 하며 나의 마지막을 어디서 끝맺을 지 고민 중이다. 가능한 주변이 탁 트인 높은 건물의 옥상에서 마지막 기억을 물들이고 싶다. 우현이 떠난 장소가 딱 좋았는데. 달을 배경으로 한 죽음이 정말 찬란했는데. 아쉽게도 나는 그런 죽음은 맞이하기엔 어렵겠다, 우현아.

이제 정말… 끝이 코앞이네. 나는 우현이 네 덕분에 죽음도 흉내 낼 수 있게 되었는데, 왜 너는 내 곁에 없고 나는 혼자인 걸까. 왜 서아마저 나를 떠난 걸까. 하하, 웃음이 나왔다. 너희마저 내게 잔혹해서. 어차피 죽음이 코앞이니 너희를 조금은 미워해도 괜찮지 않을까. 영원을 꿈꿔보아도 괜찮지 않을까….

어차피 내 울음은 누군가에겐 배부른 울음뿐일 테니까. 행복을 눈 아래에 뒀는데 밑을 볼 줄도 모르는 바보 같은 사람으로 보일 테니까. 근데 그거 알아? 볼 줄 모르는 게 아니라 보지 않는 거야. 보고 싶지 않으니까. 내 발 아래에 깔린 세잎클로버들, 모두 필요 없으니까. 그래서 사실 배부른 울음이라는 말도 맞아. 응, 내 울음은 배부른 울음일 뿐이야. 내가 자초한 배부름.

빛은 사실 악마였거든. 어둠이 진짜 천사였어. 빛이 있으면 우리는 언제나 거짓말만 난무하게 되잖아. 근데 어둠 앞에서는 진실만 속삭이게 되더라고. 그래서 나는 빛이 악마고 어둠이 천사라고 생각해. 빛은 죽음을 헛되게 만들잖아. 아무런 사정도 모르면서 죽지 말라는 말만 반복하잖아. 그에 반면 어둠은 솔직하니까. 믿을 구석 없는 내게 남겨진 유일한 믿음이니까.

D-1

어느새 내일이 나의 마지막 날이다. 평생을 애증에 묶여 살아왔는데, 끝이 이렇게 허술하게 끝나다니. 어슴푸레 시야를 비추는 새벽의 달빛이 우습다. 저 밑바닥 없는 지천함이 부러워 질투가 난다.

'이럴 줄 알았으면….'

너희를 좀 미워도 해볼 걸. 마음껏 미워하고. 시샘할 걸. 나는 너희가 남긴 시간 속에 갇혔는데, 정작 너희는 편안했잖아. 나만 찢어지게 아파했겠지. 서아를 돌보느라 내 마음 하나 신경 써보지 못하고 말이야. 좀… 우습다, 내가.

나는 우리가 예쁜 필름을 배경으로 한, 한 편의 아름다운 영화가 될 줄만 알았다. 그 해 여름은 너무나 찬란했기에 우리가 세상에서 제일 멋진 연으로 맺어질 줄만 알았다. 행복이라는 명사를 맛 봐버려서, 행운이라는 명사를 알게 돼버려서. 순수함이 때로는 잔인함으로 다가올 수 있다는 사실을, 열일곱의 나는 몰랐다. 그저 예쁜 필름이면 뭐든 좋았다. 아름다움을 추구할 나이였으니까. 남들보다 특별한 것을 찾아가는 나이였으니까. 우리라는 이름의 명사가 필름 속에 숨겨가는 것조차 모르고. 그런 줄도 모르고 우리는 이렇게 죽어버렸어. 나도 곧 죽겠지. 나도 푸르른 하늘에 잠겨 죽겠지.

꿈꿀 수 있지만 꿈꿀 수 없는 것들이 너무 허무하다. 바라볼 수 있지만 바라볼 수 없는 것들이 너무 허전하다. 닿을 수 있지만 닿을 수 없는 것들이 너무 구슬프다. 왜 마음껏 너를 사모하지 못했던 걸까. 왜 그렇게 나는 내 감정만이 중요했던 걸까. 그 시간에, 그 시각에 내가 너를 조금만 더 주의 깊게 들여다보았다면. 만일 그랬다면 내가 이렇게 죽지는 않았을 텐데.

이제는 그리운 것도 없다. 가지고 싶은 것도, 해보고 싶은 것도, 모두 없다. 그저 이 지긋지긋한 세상이 빨리 정리되었으면 좋겠다. 그저 이 지긋지긋한 웃음의 가면을 빨리 벗어버리고 싶다.

하늘이 너무도 푸르다. 당장이라도 빠져 죽을 수 있을 것처럼.

D-DAY

이유 없는 눈물이 어디 있냐는 말을 들었다. 그저 스쳐 지나가며 들은 말인데도 하염없이 눈물이 흘러내렸다. 과연 모든 눈물이 어떠한 이유를 지니고 있어야만 하는 걸까. 더욱 더 죽고 싶은 마음이 거세진다. 나조차도 모르는 눈물의 행방을 과연 누가 알겠냐마는, 결코 대답할 수가 없다. 내게는 이유 없는 눈물들이 너무 많았어서. 지워지지 않는 눈물 자국들이 너무 많이 남아버려서. 그래서 죽고 싶다. 더이상 어떤 이유를 가지고 살아가고 싶지 않다. 어차피 이유를 설명해도 세상은 나를 이해하지 못하니까.

오늘 나는 세상과 작별 인사를 할 것이다. 그동안 가식으로 살아왔으니 마지막은 온전히 내 진심을 다해 세상을 마주해보려고 한다. 이제는 내 가식이 진심이 될 때니까. 이제는 내 가식이 사랑이 될 때니까.

있잖아, 서아야. 나 사실 많이 힘들었다? 우현이를 잃은 슬픔을 슬퍼할 겨를도 없이 너를 챙겨야만 했거든. 다들 너를 미친 사람 취급했으니까. 그래서 힘들었어. 그 습한 여름에, 하필 그 습기에 우현이 떠나버려서. 우리가 서로에게 기대었다면 좋았을 텐데 너는 그러지 않았잖아. 그래서 나 사실 많이 힘들었어. 매일을 울고, 또 울고. 소리 내어 우는 법도 잊은 채로 울었어. 그래도 내 곁에는 아직 네가 있었으니까 있는 힘껏 참아냈는데. 그렇게 3년을 버텼는데 너는 내가 아는 유서아보다 매정하더라. 야, 유서아. 그렇게 떠나지는 말았어야지. 적어도 안타깝게는 떠나지 말았어야지. 그래야 내가 널 잊지. 그래야 내가 너 없이도 세상에서 호흡하지….

　담배 한 개비를 꺼내 불을 붙였다. 슬슬 눈이 내리려나 보다. 한껏 하얗게 번진 세상을 뒤로 하고 눈꺼풀을 내린다. 시각이 차단된 채 느끼는 손바닥의 촉감. 얼어버린 후각. 번잡한 청각. 쌉싸래한 미각. 육체도 마지막이라는 걸 인지한 건지 모든 오감이 선명해진 것만 같다. 하늘 높이에서부터 내려오는 자욱한 연기가 느껴진다.

　몸이 기우는 것 같다. 몸이 기울고 있다. 아직 전하지 못한 언어가 너무 많은데, 결국 이게 나의 끝인가 봐.

　막상 죽을 때가 다가오면 무서울 것만 같았는데, 생각 외로 전혀 무섭지 않았다. 오히려 행복했다. 아마 이게 내가 느끼는 마지막 감정이겠지.

　우현아, 서아야. 너희에게 사과 한 번만 할게. 미안해.

　끝끝내 여름을 삼켜내지 못해서 미안해.

-20XX년 XX월 XX일-

To. 나의 이야기를 읽어 주신 사람들에게

죽기 직전에 이 글을 읽어주신 사람들에게 전해드리고픈 말이 있다.

여러분은 '오늘 하루도 고생했어.'라는 말을 지인이나, 가족들에게 전해보신 적이 있으신가요?

만일 없으시다면, 한 번쯤은 전해보시기를 바랍니다.

그저 '고생했어'라는 한마디가 간절히 필요한 이가 있을 테니까요.

그들의 끝이 저희처럼, 그리고 저처럼, 비극으로 끝맺어지지는 않기를 바랍니다.

오늘 하루도 살아 주셔서 감사합니다.

작가의 말

안녕하세요, <여름을 삼키는 것>의 저자 지은조입니다.

저는 늘 시나 장편 소설만 써왔지 단편 소설을 써보는 것은 처음이라 많은 어려움을 겪었는데요. 제가 전하고 싶었던 말이 잘 전해졌을 지는 모르겠으나, 부디 그랬기를 바랍니다.

중간중간 내용을 보면 제 시집인 <열다섯>, <상처투성이기에 아름다운>, <폐월수화>, <그 해 여름은>에 나왔던 말들이 적어져 있는데요. 만약 제 시집을 읽으신 분들이라면 조금 더 몰입감 있게 읽으실 수 있을 거라 생각합니다. :)

사실 우현(이우현, 17세)이와 서아(유서아, 20세)와 설이(이 설, 21세)의 이야기는 제가 겪었던 일들을 조금씩 바꾸어 아이들의 서사로 넣은 것인데요. 제가 느꼈던 감정들이 잘 전해질 수 있도록 최대한 옛날의 저를 찾아보며 적은 기억이 있습니다. 독자님들께도 생생하게 전해졌기를 바라요.

아직 부족한 구석이 많은 작가지만, 여러분의 마음을 울릴 수 있는 글을 쓸 수 있도록 노력하겠습니다. <여름을 삼키는 것>을 읽어주신 모든 독자님들께 감사의 말씀을 드립니다. 감사합니다.

25년의 새해를 맞이하며